Duras, Marguerite

Du même auteur

Romans :

M & R, Robert Laffont, 1981; 2ᵉ éd. revue et augmentée, Éd. du Rocher, 1999.
Les Derniers Jours du monde, Robert Laffont, 1991.
Les Martagons, Gallimard, coll. « l'Infini », prix Roger-Nimier 1995.
Amour noir, Gallimard, coll. « l'Infini », prix Femina 1997 (Folio n° 3262, 1999).

Récits :

Les Deux Veuves, la Différence, 1990.
Les Trente-six Photos que je croyais avoir prises à Séville, Maurice Nadeau, 1993.

Études plus ou moins sçavantes :

Les Trois Rimbaud, Éditions de Minuit, 1986.
Lénine dada, Robert Laffont, 1989.
Sémiologie du parapluie et autres textes, la Différence, 1990.

Littérature :

Dandys de l'an 2000 [sous le pseudonyme de « Collectif Givre »], Hallier, 1977
Ouverture des veines et autres distractions, Robert Laffont, 1982.
Le Retour de l'espérance, le Temps qu'il fait, 1987.
Derniers Voyages en France, notes et intermèdes, Champ Vallon, 1994.
Je n'ai rien vu à Kyoto – Notes japonaises (1983-1996), Éd. du Rocher, 1997.
Cadeaux de Noël, historiettes, maximes, dessins et collages, Zulma, 1998, Grand Prix de l'humour noir 1999.
Immoralités suivi d'un *Dictionnaire de l'amour*, Gallimard, coll. « l'Infini », 1999.
Écrit en 1968, Joca Seria, 1999.

Essais :

Essais sur le cinéma québécois, Montréal, Éditions du Jour, 1970.
Le Cinéma, autrement, 1977; 2ᵉ édition : Éditions du Cerf, 1987.
Éloge du cinéma expérimental, Centre Pompidou, 1979; 2ᵉ éd. très augmentée : Paris-Expérimental, 1999, Prix du livre art et essai 2000.
Trente ans de cinéma expérimental en France (1950-1980), A.R.C.E.F., 1982.
Une renaissance du cinéma – Le Cinéma « underground » américain, Méridiens-Klincksieck, 1985.
Tombeau pour la littérature, la Différence, 1991.
La Colonisation douce, carnets, Éd. du Rocher, 1991; 2ᵉ éd. très augmentée en Arléa-Poche, 1998.
Aimables quoique Fermes Propositions pour une politique modeste, Éditions du Rocher, 1993.
Ce que le cinéma nous donne à désirer – Une nuit avec *La Notte*, Liège, Yellow Now, 1995.
L'Arc-en-ciel des humours – Jarry, Dada, Vian, etc., Hatier, 1996; 2ᵉ éd. Livre de poche Biblio Essais, septembre 2000.
Les Plaisirs de la vie, Payot & Rivages, « Manuels Payot », 2000.
Le Grantécrivain & autres textes, Gallimard, coll. « l'Infini », 2000.

Traductions et entretiens :

Entretiens avec Marguerite Duras (1983), imprimés et vidéographiés, Paris, Ministère des relations extérieures, Bureau d'animation culturelle, 1984 [rééd. 2001].
Épigrammes de Martial (présentation, choix et traduction), la Différence, 1989; 2ᵉ éd. augmentée, Arléa, 2001.
Ciné-Journal (1959-1971) de Jonas Mekas (préface et traduction), Paris Expérimental, 1992.

Dominique Noguez

Duras, Marguerite

Flammarion

© Flammarion, 2001
ISBN : 2-08-068162-1

AVANT-PROPOS

J'ai entendu parler de Marguerite Duras pour la première fois à l'époque d'*Hiroshima mon amour*. J'étais en hypokhâgne. Autant que les œuvres de la Nouvelle Vague, ce film nous touchait profondément, mes camarades et moi, et faisait de nous des cinéphiles d'un nouveau genre. Comme les films de Bergman ou d'Antonioni, il nous paraissait poser des questions (et apporter des réponses) esthétiques, politiques, existentielles, de même intérêt que celles des grands auteurs que nous fréquentions de façon intensive dans nos lectures et nos cours. Il faut avouer qu'à l'instar de la critique d'alors nous créditions essentiellement Alain Resnais de ce chef-d'œuvre. C'est la presse, en se faisant l'écho d'une polémique qu'elle avait suscitée, qui nous apprit le nom de Duras. Elle se plaignait amèrement qu'on ait sous-estimé son rôle dans l'élaboration du film. Vu de loin, cela faisait mauvais joueur plutôt qu'autre chose.

À part cela, on parlait un peu de ses romans dans les hebdomadaires que nous lisions, *L'Express* ou *France-Observateur*. Elle, cependant, que je sache, nous ne la lisions guère.

Puis un jour de 1968, avant mai, je traversais la place de Saint-Germain-des-Prés avec Jean-André Fieschi, un des principaux rédacteurs des *Cahiers du cinéma* de ce temps-là, quand celui-ci, s'abritant derrière moi, s'écria : « Vingt-deux, voilà Duras ! » Arrivait face à nous une petite femme que j'avais déjà aperçue au café le Saint-Claude, généralement hilare et imbibée.

Ainsi Duras m'est apparue d'abord un peu ridicule. Ensuite, au festival de Cannes de 1975, ce fut *India Song*. Je sortis de la projection bouleversé. Je la vis entrer, peu après, le soir même si cela se trouve, dans le restaurant où je finissais de dîner. Elle était entourée d'une cohorte, riante et glorieuse. C'était la Duras sublime. Quelques mois plus tard, Marcel Mazé m'invita à siéger à ses côtés et à ceux du Japonais Shuji Terayama au jury de la section « Cinéma de demain » du festival de Toulon – le festival du Jeune Cinéma fondé par Maurice Périsset à Hyères.

Je me souviens de deux ou trois choses. La première concerne son assiduité aux projections. Au début, elle n'avait rien de systématique. C'est-à-dire que Marguerite agissait comme elle aurait fait si elle avait été simple spectatrice, sortant dès que l'agacement ou l'ennui pointait. Or ce sont là des données relatives et subjectives, et telle œuvre qui rebute d'abord peut séduire *in fine*. Je lui fis valoir que nous avions des responsabilités particulières et devions tenter de voir tous les films jusqu'au bout. Je le lui disais pour l'un d'entre eux en particulier, que j'avais déjà vu au Festival de Knokke-le-Zoute, et qui m'avait enthousiasmé : *Leave Me Alone*, de l'Allemand Gerhard Theuring, qui durait deux heures et qu'elle avait quitté au bout de quelques minutes. Je fus impressionné de la voir le lendemain sortant de la deuxième projection du film : non seulement elle l'avait vu en entier, mais elle en était maintenant la zélatrice la plus fervente. Elle savait écouter et changer d'avis.

La deuxième chose, c'est la question du film entièrement noir. Elle m'apprit à Hyères qu'elle venait – ou était sur le point – de tourner des images pour un film où serait reprise *in extenso* la bande sonore d'*India Song*. Ce devait être *Son nom de Venise* (1976). Me souvenant que j'avais écrit, en 1969, dans la *NRF* : « Il est toujours possible d'imaginer un film qui ne consisterait qu'en l'agrandissement successif des cent ou deux cents pages d'un livre – ou en leur lecture à haute voix, cependant que d'anodines images défileraient sur l'écran » et que j'avais vanté *Arnulf Rainer* de Peter Kubelka, film des années cinquante qui ne consistait qu'en l'alternance de photogrammes blancs et de photogrammes noirs, avec ou sans son, je lui avais suggéré qu'elle n'avait plus, pour aller encore plus loin, qu'à reprendre la même bande son avec, cette fois, une image entièrement noire. Elle n'avait rien répondu, mais l'idée dut faire son chemin car, en 1981, elle réalisa *L'Homme Atlantique*, qui comportait encore des images, certes – des plans de Yann Andréa dans le hall des Roches noires de Trouville –, mais entrecoupées d'assez longues plages de noir complet.

Je me souviens aussi d'un de nos premiers déjeuners, avec Marcel Mazé sans doute, dans les environs de Toulon. Elle se mit à parler *personnellement* au serveur. « Nous nous sommes déjà vus, n'est-ce pas ? Où était-ce ? » Lui, sincère ou malin, ne la démentit pas et entra avec elle, plat après plat, dans le jeu des hypothèses successives et successivement écartées. Si je ne m'abuse, il s'avéra à la fin du repas qu'ils ne s'étaient jamais rencontrés, mais nous avions eu droit à un grand numéro durassien sur la mémoire, tout à fait dans la manière d'*Une aussi longue absence* d'Henri Colpi, dont elle avait été en 1961 co-scénariste avec Gérard Jarlot. Elle était créatrice de fiction, comme a bien vu Jean-Pierre Ceton dans son livre de souvenirs, par ailleurs grevé d'inexactitudes [1].

Je me mis à lire ses livres. J'acquis très vite la conviction que *Le Ravissement de Lol V. Stein* et *Le Vice-consul* étaient parmi les plus grands romans du siècle.

Ensuite il y eut l'espèce d'amitié dont témoigne la seconde partie de ce livre. Elle dura, mais ne fut pas sans aléas, sans hésitations, de ma part, entre l'admiration et l'agacement. C'est que Duras était admirable et agaçante. C'est aussi qu'elle avait des ennemis indignes et des thuriféraires encombrants. Les thuriféraires, qu'elle suscitait volontiers, n'avaient que le tort de transformer les relations intellectuelles ou amicales en exercices de dévotion qui donnaient envie de prendre du champ. Les ennemis étaient parfois si sots, si machistes, si injustes – ils le sont toujours, je le crains –, qu'ils obligeaient en retour au panégyrique.

En matière de sottise et d'injustice, même de calomnie, ses anciens camarades du Parti communiste français ne furent pas les moins virulents. Lors d'une de ses dernières grandes apparitions publiques, à la fin de 1992, quand la Cinémathèque française lui consacra un hommage, elle fit rire en accusant ou feignant d'accuser le président, Jean Saint-Geours, un malheureux banquier égaré dans la ciné-

_____

1. Voir ci-dessous, pp. 213-215, 25 janvier 1997.

10

philie, d'être membre du P.C.F et d'avoir obstinément comploté contre elle [1]. Le harcèlement qu'elle dénonçait drôlement (ou follement) n'en était pas moins réel. Des intellectuels honorablement progressistes, qui pouvaient par ailleurs inspirer l'estime ou le respect, s'y étaient salis. Cela allait – péché véniel – de Georges Sadoul écrivant en juin 1959 dans *Les Lettres françaises* que certaines répliques d'*Hiroshima mon amour* étaient écrites « en style boulevardier [2] » jusqu'à ce romancier spécialiste d'Alexandre Dumas déclarant en 1995, au mépris des faits et d'une lecture simplement honnête, qu'en lisant *La Douleur* on était forcément persuadé que c'est elle qui avait donné en 1944 son mari à la Gestapo !

Longtemps, j'eus le privilège d'être vouvoyé par elle. Puis un soir de la fin de 1979, dans un taxi, elle proposa que nous passions au « tu ». Cette promiscuité à laquelle je ne tenais pas me fut funeste. D'elle – de cette perte de privilège – date le début de mes malheurs avec elle. (« Malheurs » est abusif : impatiences et incompréhensions tout au plus, j'y viens.)

Un malentendu, venu de son narcissisme ou de ma maladresse, consécutif aux entretiens filmés que nous avons eus en 1983 et peut-être avivé par un ou des tiers (ou peut-être pas), fit que je ne la vis plus que de loin, et même de très loin, dans ses dernières années. Je n'en ai qu'à demi souffert car c'est alors qu'elle devint brusque-

---

1. Voir ci-dessous, la note de la page 201.
2. Georges Sadoul, « L'Univers et la Rosée », *Hiroshima mon amour*, d'Alain Resnais, in *Les Lettres françaises*, n° 778, Paris, 18 juin 1959, repris dans *Chroniques du cinéma français (1939-1967) – Écrits I*, Paris, UGE 10-18, n° 1302, 1979, p. 179.

ment riche et célèbre, et les phénomènes de cour, autour d'elle, autant que j'aie pu savoir, s'exacerbèrent.

Finalement on est étonné du nombre de gens qui ont été, fût-ce un moment, ses amis. Avait-elle du flair ou attirait-elle les meilleurs (je ne parle évidemment pas pour moi)? À tel ou tel moment de sa vie, elle a connu de près tout ce qui compte dans la littérature, le théâtre ou le cinéma, de Raymond Queneau à Maurice Blanchot, d'Elio Vittorini à Benoît Jacquot, de Jeanne Moreau à Madeleine Renaud, et, si j'ai bien compris, de Philippe Sollers à Renaud Camus. Elle fut éminemment dialectique, jouant avec les contradictions et les contrastes, et réconciliatrice, avec les êtres comme avec les idées.

Par exemple, entourée toute sa vie d'homosexuels – attachés à elle on ne sait si c'est parce que, comme a dit Baudelaire, « aimer les femmes intelligentes est un plaisir de pédéraste » ou à cause de ces passions amoureuses extrêmes et douloureuses qu'elle peignit comme personne et qui sont particulièrement le lot des minorités sexuelles –, elle fut aussi la plus féroce et, sans doute, la plus injuste contemptrice de l'homosexualité masculine. *La Maladie de la mort* est, de ce point de vue, un texte terrible, par certains aspects une sorte de règlement de compte.

Du point de vue de la littérature, de la musique et du cinéma, aussi bien que de l'histoire et de la géographie les plus générales, elle a provoqué des rencontres inattendues. Son œuvre a des couleurs contrastées, porte en elle le chaud et le froid, le jour et la nuit. Elle a fait communiquer Nevers et Hiroshima, la Seine et Auschwitz, la moiteur de l'Inde et les hivers de Neauphle, Trouville et la banlieue parisienne, Bach et le tango, Pascal et Musil,

Mme de La Fayette et Freud. Elle a, dans ses livres, conduit la langue française d'un certain baroque tortueux au plus sec des classicismes. Elle a accompagné ou précédé l'évolution idéologique (il faudrait presque dire « météo-rologique ») du siècle depuis les lendemains qui chantent jusqu'au gai désespoir.

Quand je cherche à mieux retrouver l'impression qu'elle m'a faite, à moi particulièrement, je trouve un mélange assez rare de simplicité presque maternelle et de manières de diva. Les pieds sur terre, ex-épouse et mère autant qu'amante sulfureuse et alcoolique, elle aimait par exemple faire la cuisine. C'était pour elle une activité non négligeable, de l'ordre de l'art et de la politique (son goût, par exemple, des plats vietnamiens) presque autant que de la convivialité. Une donnée de son rapport aux autres. Ce qui fait que je n'ai d'abord pas bien compris pourquoi en 1999 son dernier compagnon chercha noise à son fils qui avait (dans un livre certes un peu bâclé, où il y avait des coquilles) publié ses recettes favorites [1]. Par ailleurs, elle était capable de conseils « de bonne femme » – le plus élé-mentaire et pourtant le plus profond, qui fait que je pense souvent à elle, étant celui que je rapporte à la fin de ce

---

1. Ses raisons, Yann Andréa me les a expliquées ensuite : ce n'était pas un *livre*, elle n'aurait jamais fait un livre comme cela. Surtout l'idée de Marguerite cuisinière ne lui agréait pas beaucoup. C'est trop souvent à cela que les écrivains amis qu'elle invitait rue Saint-Benoît dans l'après-guerre voulaient la réduire, par une sorte de réflexe machiste, pour ne pas la voir comme l'écrivain qu'elle était (« S'ils avaient pu m'empêcher d'écrire, ceux-là, disait-elle, ils l'auraient fait ! »). À mon sens, dans le heurt frontal (et judiciaire) que ce livre a provoqué entre Yann et Outa, il y avait peut-être aussi, après trois ans de dépression, la volonté qu'avait soudain le premier de rappeler au second que c'est lui qui était l'« exé-cuteur testamentaire » de l'œuvre de Marguerite.

livre : quel que soit l'état d'abattement, de détresse, de dégoût de vivre où l'on est, *faire son lit chaque jour.*

Et, à côté de cela, une façon superbe de vaticiner, de répondre aux interviews, de penser *dans la bouche,* selon le mot de Tzara, de faire du Blanchot *à voix haute* (certains, exagérant, ont même dit du Hegel [1]). Oralité pythique, sens concret de la langue, ce fut une des meilleures diseuses du français qui ait jamais été. Presque jusqu'au chant. D'ailleurs, petite et énergique comme la chanteuse, qu'elle admirait, dotée comme elle d'une voix forte et distincte, relançant comme elle sans cesse et jusqu'au bout sa vie amoureuse, elle fut l'Édith Piaf de la littérature. En même temps, cet être si concret et si remuant fut une sorte d'abstraction : l'incarnation de l'acte d'écrire à l'état pur.

---

1. Voir Gwendoline Jarczyk, *Le Négatif ou l'écriture de l'autre dans la logique de Hegel,* Paris, éditions Ellipses, coll. « Philo », 2000.

I

DURAS

Chapitre I

LA GLOIRE DES MOTS

Aimer quelqu'un, c'est beaucoup de choses. C'est être dévorateur, cruel, humble, c'est pardonner. C'est être curieux aussi, c'est vouloir savoir. Jusqu'à la jalousie, jusqu'à l'obsession, jusqu'à la filature. Même chose avec un écrivain qu'on estime. Sauf qu'on n'a que les textes à filer. Il y a plusieurs façons d'épier les textes par ferveur. La plus répandue court à ce qui s'y dit (les thèmes, les révélations sur la biographie, les images obsédantes, etc.). Plus rare, plus ingrate, plus difficile aussi peut-être, l'enquête sur la manière dont c'est dit. L'écriture. Comment est-ce fait ? D'où vient que c'est unique ? Il y a danger et paradoxe à faire cette investigation. Danger, car on risque, si l'on réussit, de n'être plus aussi fasciné : l'enchantement meurt de connaître ses causes. Paradoxe, car il s'agit en somme d'aller jusqu'à savoir imiter ce qui est en principe inimitable. Faux danger, vain paradoxe. Car l'enchantement, conscient, parfois redouble : la lecture devient co-création – « création dirigée », disait Sartre – et on a l'émotion d'inventer *presque* en même temps que l'écrivain ces tournures imprévues qui sont sa vérité et sa fraîcheur. Et l'on peut bien imiter, c'est-à-dire retrouver la respiration, les types de mots, les tics, même : l'essentiel, l'aptitude à varier soudain, à surprendre, reste hors de portée.

L'étude du style d'un écrivain tient donc de la gageure. C'est quasiment cette utopie d'enfant : attraper un oiseau en lui mettant du sel sur la queue. Essayons cependant. Deux problèmes de limites se posent aussitôt : celui du corpus et celui de l'objet visé. Le corpus : quelles œuvres – en l'occurrence quelles œuvres de Duras – choisir? Dans l'idéal, toutes. Mais ce serait une thèse : il y faudrait un ordinateur, des mois, des années de travail. On me pardonnera d'être plus modeste et plus pressé : l'analyse portera, certes, de-ci, de-là, sur presque tous les textes publiés depuis *Moderato cantabile* (1958), mais plus systé-matiquement sur ces cinq-ci : *L'Homme assis dans le cou-loir* (1980), *Agatha* (1981), *L'Homme Atlantique* (1982), *La Maladie de la mort* (1982) et *La Douleur* (1984-1985) [1]. Les films, à l'occasion, ne seront pas oubliés.

La question de l'objet visé est plus délicate. Qu'est-ce que le style? C'est à la fois le plus visible et le plus invi-

---

1. Ces cinq livres seront cités ici dans leur première édition (les quatre premiers aux éditions de Minuit, le cinquième chez P.O.L.), sous les formes suivantes (suivies du numéro de la page) : *H. assis, Agatha, H. Atlantique, Maladie* et *Douleur*. On trouvera aussi :

Moderato pour *Moderato cantabile* (éd. de Minuit, 1958).

Hiroshima pour *Hiroshima mon amour* (Gallimard, 1960, dans la coll. Folio),

Ravissement pour *Le Ravissement de Lol V. Stein* (Gallimard, 1964),

Vice-consul pour *Le Vice-consul* (Gallimard, 1966),

Camion pour *Le Camion* (éd. de Minuit, 1977),

Night pour *Le Navire Night. Césarée. Les Mains négatives. Aurélia Steiner. Aurélia Steiner. Aurélia Steiner* (Mercure de France, 1979),

Été 80 pour *L'Été 80* (éd. de Minuit, 1980),

Amant pour *L'Amant* (éd. de Minuit, 1984).

sible d'un texte. Invisible à force de crever les yeux. Comme la peau, si apparente – et que l'on ne peut voir vraiment qu'à la loupe. Approchons la loupe : les difficultés commencent. Que voir ? Jusqu'où ? Qu'isoler ? Le trop fameux couple saussurien – signifiant, signifié – permet de désigner le problème : on voudrait ne parler que du signifiant, mais ils sont indissociables. On voudrait se borner à l'agencement des mots, aux figures, à ces petits riens – adjectifs, cadences, tournures – qui sont l'épiderme des textes. Mais où s'arrêter ? Le conditionnel conduit si bien à l'idée d'irréel, l'hyperbole à l'absolu, une virgule à l'hésitation – c'est-à-dire à des visions du monde ! Toujours la signification point, et oriente. Comment ne pas se laisser mener par elle et ne pas se borner à retrouver, dans le tissu des phrases, ce qu'elle nous a d'abord soufflé ?

Leo Spitzer, exemple insigne, qui sait comment il s'y est pris, *avant de rédiger*, pour analyser, à la suite de Curtius, « le style de Marcel Proust » ? N'a-t-il considéré que les mots – la longueur des phrases, les types d'incidentes et de parenthèses, les conjonctions, etc. –, pour en déduire, *ensuite*, du nouveau sur l'univers proustien ? Quand il rédige, il n'en donne pas moins à ses remarques stylistiques un ordre rigoureux imposé par le sens, par une vision déjà précise et complète des signifiés de l'œuvre : s'il commence par le rythme de la phrase, « élément déterminant » de ce style, c'est, dit-il, « qu'il est directement lié à la façon dont Proust *regarde le monde* ». « Ces phrases complexes, ajoute-t-il, que le lecteur doit démêler, " construire " comme celles d'un auteur grec ou romain, *reflètent l'univers complexe que Proust contemple*. Rien n'est simple dans le monde [...] de Proust. Il est *donc* contraint de recourir à de grandes périodes, voire à des phrases monstrueuses [1]. » Certes, à moins de se condamner à une simple énumération, poussière inorganisée d'observations minuscules, il faut un ordre. Mais il faudrait que l'ordre vienne – et non par ruse, non par rhétorique, non par arrangement après coup – de ces observations mêmes. Ainsi, par cette accommodation contraignante et ingrate qui fera rester le regard à la surface du texte et oublieux de ce qu'il sait par ailleurs, pourra-t-on garder l'espoir délicieux de découvrir, dans l'enchevêtrement même des mots, des indications que la lecture ordinaire – ou la vision des films – n'avait pas données.

Chez Duras, par où commencer ? Par la dimension et la texture des phrases, comme fait Spitzer avec Proust ? Pourquoi pas ? D'autant que, si l'on songe justement à cet exemple, une évidence s'impose d'emblée : la phrase durassienne est d'ordinaire aussi courte, en apparence aussi simple que la période proustienne est longue et complexe. Si d'aventure elle dépasse quelques lignes, elle est faite de propositions très brèves, isolables, seulement reliées entre elles par des « et » qui ont presque valeur de point (comme si, soudain, on n'avait pas le temps de clore la phrase, parce qu'il faut aller vite, dire presque ensemble plusieurs choses difficilement séparables) :

---

1. Leo Spitzer, *Études de styles*, traduit par Éliane Kaufholz, Alain Coulon et Michel Foucault. Paris, Gallimard, « Bibliothèque des idées », 1970, p. 398. *C'est moi qui souligne* (désormais, cette mention sera remplacée par le signe*).

Je me voyais dans une glace en train d'écouter mon frère jouer pour moi seule au monde *et* je lui ai donné toute la musique à jamais *et* je me suis vue emportée dans le bonheur de lui ressembler tant qu'il en était de nos vies comme coulait ce fleuve ensemble, là, dans la glace, oui, c'était ça... et puis ensuite une brûlure du corps s'est montrée à moi.

Agatha 29-30*

(La concomitance des divers éléments, comme mêlés dans un même flux, est ici renforcée par la disparition passagère de la ponctuation : « tant qu'il en était de nos vies comme coulait ce fleuve ensemble... »)

Duras n'enchevêtre pas, comme Proust, dans une même phrase, toutes sortes de propositions soudées par des parenthèses, des relatifs ou des participes passés accordés par anticipation avec un substantif qui arrive cinq ou dix lignes plus bas. Elle ne subordonne pas ; à peine si elle coordonne : elle juxtapose. Écrivain de la parataxe. Chaque proposition, brève – prolongeât-elle, pour le sens, une proposition précédente –, forme une phrase autonome, presque un microcosme. Dont l'indépendance – comme celle des vers de la *Chanson de Roland* analysés par Auerbach dans *Mimésis* – sera, à l'occasion, « encore soulignée par la nomination réitérée du sujet[1] » :

... Li emperere mult fierement chevalchet.
« Seignurs barons », dist il emperere Carles...

---

1. Erich Auerbach, *Mimésis. La représentation de la réalité dans la littérature occidentale,* traduit de l'allemand par Cornélius Heim. Paris, Gallimard, « Bibliothèque des idées », 1968, p. 109.

[... L'empereur chevauche très fièrement.
« Seigneurs barons », dit l'empereur Charles...]

Et, chez Duras :

La petite fille parle au chat, elle parle.
« Des fois, je veux mourir, dit la petite fille... »
Aurélia Paris (*Douleur* 204)

Il est vrai qu'on peut avoir chez elle l'inverse : l'efface-
ment complet du sujet – nom ou pronom –, le contexte
ôtant tout doute sur sa nature :

Oui. Ne sortait qu'à la nuit tombée.
India Song 119

Avec soin elle la met à nu dans sa totalité. Écarte le
vêtement. En sort les parties profondes. S'éloigne légè-
rement d'elle...
H. assis 24

Peu importe, c'est toujours parataxe. Qu'est-ce à dire ?
La parataxe – ou simple juxtaposition des propositions,
sans subordination – peut avoir d'abord une fonction tem-
porelle. Au lieu de donner d'un événement plus ou moins
long une idée globale, synthétique, elle le décompose en la
série de ses phases, moment par moment :

Vous voyez d'abord les légers frémissements [...].
Et puis ensuite les paupières trembler [...]. Et puis
ensuite la bouche s'ouvrir [...]. Et puis ensuite vous per-
cevez que sous vos caresses [etc.]
Maladie 39

Ou encore (les propositions se succédant ici dans une
même phrase) :

Vous l'avez jouée deux fois de suite et puis ensuite vous avez joué d'autres choses, encore et encore, et puis encore cette valse-là.

Agatha 29

De ce point de vue, la parataxe est aux antipodes de l'ellipse ou du résumé, toutes façons de gagner du temps : loin de réduire la durée, elle tente, dirait-on, de la restituer telle quelle. Équivalent littéraire, dès lors, du plan-séquence au cinéma – de ces plans où l'on ne coupe pas, où le temps filmique est égal au temps diégétique (ainsi, dans *Nathalie Granger*, l'épisode de la table desservie par les deux femmes ; dans *India Song*, l'arrivée d'Anne-Marie Stretter et de ses chevaliers servants, puis du Vice-consul, dans le grand couloir du Prince of Whales...).

Par là, les juxtapositions paratactiques sont à rapprocher de certaines répétitions de mots qui ont pour but de retarder et même de dilater le temps de la lecture, comme pour le faire coïncider avec la durée supposée de ce qui est décrit – moment privilégié, prenant du coup l'éclat d'une épiphanie (au sens joycien), ou enlisement, stagnation :

Les nuages étaient si lents à recouvrir le soleil, *si lents à le faire*, en effet, que cette journée était presque plus belle encore que celles qui l'avaient précédée.

Moderato 143*

Après, en route pour dix ans vers Calcutta. Calcutta où elle restera. Elle restera là, elle reste, reste là, dans les moussons. Là, à Calcutta, endormie dans la lèpre sous les buissons le long du Gange.

Vice-consul 60

23

On trouve, dans ce dernier exemple, parataxe *et* répétition : aussi bien ne dissocierons-nous plus ces deux phénomènes. L'un participe souvent de l'autre (on a vu, dans les deux vers de la *Chanson de Roland* cités plus haut, que l'une appelle presque naturellement l'autre) et ils participent tous deux, chez Duras, d'une même manière, comment dire ? d'un même régime verbal, d'une même scansion profonde de la parole.

Parole, en effet. C'est qu'il faut noter, en passant, combien le texte durassien – le texte non théâtral, s'entend (car, pour le théâtre, cela va de soi) – est de l'ordre de l'oral au moins autant que de l'écrit. Il n'est pas surprenant que Duras ait fini par lire elle-même ses textes sur la bande sonore de ses films, se soit même fait filmer les lisant (dans *Le Camion*). Dira-t-on, pour évoquer Flaubert, que ses films sont ses « gueuloirs » ? Plutôt, il y a, très tôt chez elle – depuis au moins *Hiroshima mon amour* –, comme une influence de la pratique du théâtre et du cinéma sur l'écriture romanesque. Je ne vise pas seulement ici tous ces « Il dit : », « Elle demande : », qui parsèment des textes comme *Le Navire Night* ou *La Maladie de la mort*, ni ces « Elle dit : " Oui " », « Il dit : " Non " » (de préférence à « Elle nie » ou « Non, dit-il »), ni même cette impulsion à passer au style direct au beau milieu d'un passage en style indirect

Et puis elle dit qu'elle désire être frappée, elle dit au visage, elle le lui demande, viens.

H. assis 32

qui sont comme l'irruption du théâtral dans le romanesque. Non. Il s'agit d'autre chose, de ce qui paraît habituellement secondaire dans les pièces et dans les films : les indications de mise en scène, de mouvements, le scénario

– cette écriture non destinée à être lue et, par là, dépouillée à l'extrême, seulement efficace, du genre :

Une main de femme reste posée sur l'épaule jaune.

Hiroshima 22

Ou :

À Hiroshima. Dans la chambre, la lumière a encore baissé. On les retrouve dans une pose d'enlacement presque calme.

Ibid. 79

Ou :

Long silence. Ils marchent. Ils s'arrêtent. Et puis ils parlent encore.

Agatha 58

On dirait qu'à partir de 1960 environ, l'usage de cette écriture « pauvre », utilitaire, presque télégraphique, va quitter, chez Duras, les coulisses de l'écrit théâtral ou de l'écrit cinématographique préparatoire pour gagner le devant de la scène, tous les textes. Du coup, le théâtre ne donne pas seulement à Duras ce sens du langage parlé qu'elle a à l'occasion :

Il y a un orage au loin, *c'est souvent*, la nuit.

Maladie 32*

– pas seulement non plus ce sens du décor minimal, symbolique, non réaliste, qui irrigue son cinéma dès *India Song*; il lui donne aussi cela, qui importe davantage encore (l'essentiel, peut-être, de son style) : cette façon d'aller « à l'os, au plus pauvre de la phrase » qu'elle a désignée elle-même comme sa vraie préoccupation. Car « c'est là, ajoutait-elle, que la force se tient [1] ».

Mais revenons à la parataxe. Auerbach, le beau premier, convenait que cette construction pouvait prendre des sens très divers selon les littératures : dans les langues antiques, elle ressortit « davantage au style parlé qu'au style écrit », est de caractère « plus comique et réaliste qu'élevé » (*Mimésis*, p. 110). Mais c'est l'exception. Dans *La Chanson de Roland* aussi bien que dans les épopées germaniques (*Hildebrandslied, Nibelungenlied...*) et, surtout, dans la Bible déjà, elle appartient au style élevé. Et, avant toute autre chose, c'est peut-être cette *aura* sublime, ce lointain écho biblique, ce ton d'incantation ou de récit non profane qu'on perçoit dans les juxtapositions et répétitions durassiennes :

> Chaque jour elle viendrait. Chaque jour elle vient.
> [...]
> Elle arriverait avec la nuit. Elle arrive avec la nuit.
> Toute la nuit vous la regardez. Pendant deux nuits vous la regardez.
> Pendant deux nuits elle ne parle presque pas.
>
> *Maladie* 11-12

La répétition y est comme une rime intérieure, un refrain :

> Les gens se promènent, pensifs, à travers les photographies, les reconstitutions, faute d'autre chose, à travers les photographies, les photographies, les

---

1. Entretien inédit avec Dominique Noguez sur *Le Navire Night* (réalisé à Paris le 6 avril 1979, diffusé le 9 octobre 1979 sur Radio-Canada). Voir ci-dessous pp. 227-239.

reconstitutions, faute d'autre chose, les explications, faute d'autre chose.

Hiroshima 24

Et il est vrai qu'on est ici du côté de la poésie la plus orale, presque de la chanson : on est dans cet ordre de langage fort bien caractérisé par Roman Jakobson comme celui où les règles de similitude (assonances, dérivations etc.) qui régissent l'axe invisible des paradigmes régissent aussi l'axe des syntagmes [1]. Et ainsi, par ces retours du *même*, là où ne devrait jouer que la différence, surgissent musique et mémoire – l'anomalie superbe du « haut langage » (Jean Cohen).

Mais encore? Ces répétitions ne se font pas n'importe comment. Pas en cercle. Ce ne sont pas des ritournelles. Elles bougent. Parfois, certes, elles forment une antimétabole, ou épanode, comme dit la rhétorique [2] : la reprise inversée des mots suggère comme un va-et-vient, le mouvement d'une vague qui avance puis se retire :

Il occupe maintenant le chemin à lui seul. À lui seul ce désert, ce chemin.

Douleur 196

Mais le plus souvent, on avance, vaguelette après vaguelette, la deuxième, la troisième déjà là avant que la première ait reflué :

---

1. Roman Jakobson, *Essais de linguistique générale*, traduit de l'anglais et préfacé par Nicolas Ruwet. Paris, éd. de Minuit, coll. « Arguments », 1963, pp. 220-221.
2. Répétition de mots dans un autre ordre. Voir Jules-César Scaliger, *Poetices libri septem*, 1591 (rééd. : Stuttgart, Frommann, 1964), p. 30.

Vous oublierez.
Vous oublierez.
Que c'est vous, vous l'oublierez.
Je crois qu'il est possible d'y arriver.
Vous oublierez aussi que c'est la caméra. Mais surtout vous oublierez que c'est vous. Vous.
Oui, je crois qu'il est possible d'y arriver...

H. atlantique 7-8

On pourrait presque penser ici à... Péguy, autre habitué de la répétition. À ces lignes, par exemple, presque prises au hasard (dans *Le Mystère de la charité de Jeanne d'Arc*, 1910) :

Mais lui, ce vieillard, ce vieillard de ce pays-là, on ne sait pas qu'il ait plus rien vu ensuite. Et heureux il ne connut plus aucune histoire. Heureux, le plus heureux de tous, il ne connut plus nulle autre histoire de la terre [1].

Ce rapprochement n'a pas pour but de surprendre. Il est pour mieux permettre, par contraste, de saisir (peut-être) le sens du dynamisme des répétitions chez Duras. Car si, chez l'un comme chez l'autre, ces avancées de vagues n'ont pas qu'un aspect esthétique (ni qu'une seule explication), ce qui échappe à l'esthétique et relève du sens profond, chez l'un et chez l'autre, est presque opposé. Chez Péguy (pour aller vite), la litanie est l'effet de la certitude et de la foi. Quelque chose est su, est cru, qu'il faut formuler et proclamer jusqu'à épuisement du sens, et épuisement aussi des doutes ou réticences que pourrait

---

1. Charles Péguy, *Morceaux choisis. Poésie.* 1re éd. : Paris, Gallimard, 1927. Rééd. Livre de poche chrétien, 1962, p. 26.

nourrir le destinataire. Elle est à la fois martèlement prosélytique et énumération systématique de *tous* les aspects d'un événement, d'un mystère ou d'une image qui ne *fait pas un pli*, si je puis dire, qui est sûr(e), qui est *vu(e)* :

> Et eux ils l'ont vu. Tous ils l'ont vu, sans se déranger, ceux qui étaient là et ceux qui étaient venus, ceux qui étaient venus exprès et ceux qui n'étaient pas venus exprès ; les bergers, les mages et l'âne, et le bœuf qui soufflait dessus pour le réchauffer.
>
> *Ibid.*, p. 22

On avance, et avance et avance dans une direction déjà connue. On laboure (cette métaphore a été souvent employée à propos de Péguy – à juste titre). Chez Duras, au contraire, on dirait que la parataxe est la marque d'une lente conquête sur l'incertain, et la répétition une façon de *s'assurer* peu à peu :

> Nous entendons que l'on marche elle et moi. Qu'il a bougé. Qu'il est sorti du couloir. Je le vois et je le lui dis, je lui dis qu'il vient. Qu'il a bougé, qu'il est sorti du couloir.
>
> *H. assis* 14

D'abord seulement une perception imprécise (« on marche »), venue de l'ouïe seule. Puis, soulignée par le remplacement du pronom indéfini par le pronom défini, une perception plus précise (« *il* a bougé »). Puis la vue s'ajoute à l'ouïe (« je le vois »). Puis la parole vient redoubler, renforcer, *avérer* la perception (« je le lui dis, je lui dis qu'il vient »).

La répétition durassienne n'est pas pure euphonie, ni pure insistance : elle apporte comme un surcroît d'être à ce qui est répété. Elle est performative. Ce surcroît vient souvent d'un changement de point de vue : quelque chose est dit sur quelqu'un, qui est confirmé par le regard d'un autre – comme si on passait, au cinéma, d'un plan à un autre : un personnage puis deux personnages, le second regardant le premier :

> Il mâche. Lentement il mâche. L'aîné des enfants regarde l'homme qui mâche.
>
> *Douleur* 189

La comparaison avec le cinéma n'est pas arbitraire. Duras cinéaste aime ce type de succession de plans : dans *Nathalie Granger*, c'est le moment où Nathalie regarde l'Amie (Jeanne Moreau) focarder l'étang; le plan est immédiatement suivi d'un plan où la mère (Lucia Bose) *regarde* Nathalie regardant focarder l'étang. Dans *India Song*, c'est le plan d'Anne-Marie Stretter allongée sur le sol, rejointe par ses deux amants – suivi d'un plan du trio *regardé* par le Vice-consul. Etc.

La répétition n'est donc jamais pure, elle est, même imperceptiblement, marquée au sceau de la différence, voire (pour le coup, puisqu'elle implique une progression, faisons le jeu de mots derridien) de la *différance*. C'est le cas de quelques apparentes tautologies :

> Avec votre départ votre absence est survenue...
>
> *H. atlantique 15*

> Son corps a disparu. La différence entre elle et vous se confirme par son absence soudaine.
>
> *Maladie 54*

Le mot « absence » n'y redouble pas exactement les mots « départ » ou « disparu » : il diffère d'eux en poids

30

ontologique, ne serait-ce que par ce quasi-redoublement qui marque comme une prise de conscience douloureuse.

Revenons aux comparaisons. Soit deux passages de Péguy et Duras ayant la même structure : trois termes presque semblables, les deux premiers assez voisins et le troisième un peu différent, marquant une progression sémantique :

Sera-t-il dit [...]
[...] qu'un papier blanchi n'est point un papier blanc.
Et qu'un tissu blanchi n'est point une blanche toile.
Et qu'une âme blanchie n'est point une âme blanche.

« Les Saints Innocents »,
Cahiers de la Quinzaine, XIII-12
(24 mars 1912)

Il [le désir] était dans celle qui le provoquait ou il n'existait pas. Il était déjà là dès le premier regard ou bien il n'avait jamais existé. Il était l'intelligence immédiate du rapport de sexualité ou bien il n'était rien.

Amant 28

Chez Péguy, le troisième terme est sous-entendu dès les deux premiers. Il dit simplement de façon plus directe ce qu'ils indiquaient métaphoriquement. Chez Duras, c'est un approfondissement, une découverte de la pensée qui s'entête et qui ne savait pas vraiment d'abord ce qu'elle allait trouver. De là, peut-être, que son lieu géométrique soit situé vers sa fin. Le mot définitif, essentiel, n'est pas dit d'abord (les autres n'étant plus que les vibrations ou les arpèges) ; il arrive après les autres, comme un coup sec qui conclut un glissando :

Son regard est limpide encore, *profond.*

Douleur 186*

On sait combien Proust aime le rythme ternaire : ses adjectifs arrivent souvent par trois. Chez Duras, c'est par deux. Chez Proust, ils sont sémantiquement équilibrés, à égalité :

... la petite phrase venait d'apparaître, *lointaine, gracieuse, protégée* par le long déferlement du rideau *transparent, incessant et sonore.*

À la recherche du temps perdu
Pléiade, 1954, t. I, p. 264*

Si parfois l'un l'emporte – c'est, semble-t-il, le point de vue de Spitzer, qui parle d'« organisation symétrique autour d'un élément central [1] » –, ce n'est pas le dernier. Même chose d'ailleurs, s'ils sont quatre ou cinq.

Et ç'avait été un grand plaisir quand, au-dessous de la petite ligne du violon, *mince, résistante, dense et directrice,* il avait vu tout d'un coup chercher à s'élever en un clapotement liquide, la masse de la partie de piano, *multiforme, indivise, plane et entrechoquée* comme la mauve agitation des flots que charme et bémolise le clair de lune.

Ibid. t. I, p. 208*

Chez Duras, le second adjectif a presque toujours quelque chose de plus – de plus fort, de plus concret – que le premier :

... cette pose obscène, bestiale.

H. atlantique 12

---

1. *Études de style, op. cit.,* p. 409.

... le méplat très pur, tendu.

Ibid. 13

... comme une bouche vomissante, viscérale.

Ibid. 15

Les dalles sont fraîches, désaltérantes.

Ibid. 31

... le déchaînement des passions entières, mortelles.

Maladie 21

L'adjectif, l'adjectif plus coloré, plus frappant, n'est pas la seule manière de préciser ou d'insister *in fine*. Ce mouvement d'insistance se retrouve dans le renchérissement sur le pronom. Comme si ce substitut, le pronom, soudain, ne suffisait plus, était trop pâle, prêtait à trop de confusion, comme s'il fallait maintenant un pronom supplémentaire :

Pour la voir *elle*.

Ibid. 29*

– et non seulement un pronom de plus, mais le nom :

Que moi je jouerai[s] à la place d'elle, d'*Agatha*, durant toute ma vie.

Agatha 32*

– et non seulement le nom, mais une périphrase qui rappelle ce que le nom désigne :

Il l'aurait regardée arriver vers lui *la revenante du chemin de pierre*.

H. assis 22*

Bref, tout se passe comme si, chez Duras, l'écriture, dans son avancée, était une conquête sur l'abstraction, sur l'indifférence (l'imprécision, la généralité) de l'abstraction. Était un remords sur l'impalpable, l'indéfinissable, le vague d'une sensation – une manière d'*accommoder* :

Elle est vêtue d'une robe claire, *de soie claire*...

Ibid. 8*

Comme si, en Duras, un écrivain réaliste avait toujours à *reprendre* un philosophe – à le tirer de l'intelligible vers le sensible. En tout cas à passer d'une sorte de nuit première – nuit de l'informulé, du pur possible – à la précise clarté du réel (du moins du *formulé*). Comme s'il y avait incarnation progressive. Revenons sur ces deux points : abstraction, nuit première, et mouvement vers le concret, incarnation.

Les choses ne sont jamais univoques. Il y a, en particulier, dans les formes durassiennes de nomination, autre chose qu'un simple effort de clarté. Ou si c'est clarté, c'est la clarté des nimbes chrétiens ou des éclairages d'Hollywood et d'Harcourt. Une façon d'attirer l'être nommé du côté lumineux d'une sorte de sacré laïque, du côté de la poésie épique ou des grandes légendes humaines. Une façon, ainsi, de le mettre hors d'atteinte, à l'abri de ces promiscuités moites à quoi le roman nous a habitués.

Chez Flaubert, qui est, là comme ailleurs, exemplaire – qui fait avec rigueur ce que tant d'autres faisaient ou font mollement, sans trop le faire exprès – , la nomination suit une logique déterminée par ce que Jean Rousset a fort bien analysé comme la modulation des points de vue [1]. C'est par le regard et la conscience de Charles Bovary que l'héroïne de *Madame Bovary* nous apparaît peu à peu, dans une intimité croissante révélée par les mots :

Une jeune femme, en robe de mérinos bleu [2]...

p. 47

Puis :

Mlle Emma

p. 48, 50, 51

Mlle Rouault

p. 49

Enfin :

Emma

p. 55

Chez Duras, les antonomases, comme dit la rhétorique [3], ou les périphrases ne cessent pas (« l'homme », « l'enfant », « l'étranger », dans *La Douleur*, p. 189 ; « la Mendiante », dans *Le Vice-consul* ; « la Blanche », dans *India Song* ; « celle qui est dans le lit » ou « l'étrangère de la chambre », dans *La Maladie de la mort*, p. 16 et 42,

---

1. *Forme et Signification. Essais sur les structures littéraires de Corneille à Claudel*, Paris, Corti, 1962, ch. V.
2. *Œuvres de Gustave Flaubert*, t. VIII, Lausanne, éd. Rencontre, 1965.
3. Voir Pierre Fontanier, *Les Figures du discours*, Paris, Flammarion, 1968, p. 95. La synecdoque d'individu ou antonomase consiste notamment à substituer un nom commun à un nom propre. Exemples, dans Virgile : « le Troyen », pour Enée, « le vieillard », pour Entelle, « le devin », pour Hélénus.

etc.), comme pour laisser *constamment* ces êtres à une certaine distance – faut-il dire respectueuse ?

Le nom propre semble l'objet d'un tabou, seulement transgressable dans la profération tragique (« Anna-Maria Guardi ! » crie le Vice-consul) ou l'expérience rarissime de la rencontre amoureuse. Ainsi, dans *Aurélia Steiner (Vancouver)*, pendant l'étreinte avec le marin (si l'on peut ainsi résumer ces pages) :

> Parfois il dit le nom tout entier
> Parfois il dit seulement le prénom
> Parfois le nom seul
> Il ne sait plus dire aucun autre mot
>
> *Night* 163

Ainsi également dans *La Maladie de la mort* :

> Une autre fois vous lui dites de prononcer un mot, un seul, celui qui dit votre nom, vous lui dites ce mot, ce nom.
>
> *Maladie* 26

L'acte de nommer, chez Duras, peut aller jusqu'à devenir, comme dit Sartre à propos de Ponge, « un acte métaphysique d'une valeur absolue [1] ». Même dans des circonstances moins graves, plus quotidiennes, il ne va jamais de soi. Il n'est jamais pris dans l'engourdissement de l'habitude, dans l'aisance des formules toutes faites ou, comme disent les linguistes, des syntagmes figés – bref, comme ils disent encore depuis Saussure, il est toujours plus près de l'invention individuelle de la *parole* que des certitudes collectives de la *langue*. On dirait même parfois

---

1. *Situations I*, Paris, Gallimard, 1947, p. 264.

l'écrivain en butte à une sorte de difficulté enfantine à utiliser les mots techniques, à une semi-amnésie qui l'oblige à réinventer expressions et périphrases pour désigner les choses les plus courantes :

Elle dit le chiffre du paiement [= le prix]

Maladie 11

des menottes en fer [= des pinces à vélo [1]]

Douleur 128

librairie de livres d'art [= librairie d'art]

Ibid. 94

le peuplement de l'usine [= les travailleurs de l'usine, sa « population » [2]].

À quoi l'on pourrait ajouter quelques étrangetés, déviances, tournures « incorrectes » – du moins jusqu'ici inemployées – (avec une prédilection pour les constructions avec « de » ou l'infinitif) :

le pourquoi de se souvenir

Hiroshima 32

au contraire de mourir je suis allée sur cette terrasse

H. atlantique 19

---

1. À moins qu'il ne s'agisse vraiment de menottes. Ou, encore qu'il y ait ici métaphore – une métaphore sinistre, annonçant celle de la phrase suivante (« sur le porte-bagages *étranglé* par une courroie »).
2. Entretien avec Leslie Kaplan sur *L'Excès-L'Usine*, in *L'Autre Journal*, n° 5, Paris, mai 1985, p. 57.

Le comportement de Rabier par la suite a fait que je n'ai jamais été tout à fait démentie de ce sentiment

Ibid. 93

à cause de ce mensonge de dire que la mer est noire

Maladie 46

il est privé d'entendre la pensée

Douleur 122

un léger regret d'avoir raté de mourir vivante

Ibid. 104

Dysphasie? Mais ce serait faire fi de tous les moments où l'on peut prendre Duras en flagrant délit de raffinement et d'archaïsme volontaire – adjectif verbal au lieu du participe présent, « jusques à » au lieu de « jusqu'à », etc. –, toutes manières qui la rapprochent de Racine ou même de Guillaume de Lorris plus que des semi-aphasiques de Beckett :

jusques aussi sur les paupières fermées

Maladie 29*

Elle est là, *dormante*, dans ses propres ténèbres abandonnée, dans sa magnificence.

Ibid. 32*

Il ne mange pas. Il ne pourrait pas, lui non plus, nourrir son corps tourmenté par *d'autre faim.*

Moderato 131*

Alors, afféterie (comme on disait en pareil cas, si injustement, de Gide)? Plutôt sens de la littérature, *littérarité* assumée ; plutôt constante conscience du langage – et il est vrai qu'abondent, dans le texte durassien, les incises de type *métalinguistique* :

... plus tard [...]. *C'est le mot que vous avez employé.*
Agatha 16*

Vous trouvez le battement différent, plus lointain, *le mot vous vient :* plus étranger.
Maladie 37*

Le mot qui vient en premier pour le dire est le mot de folie.
Douleur 191*

Métalangage, mais souvent pour dire que le langage fait défaut :

Vous vous dites que si maintenant à cette heure-là de la nuit elle mourait, ce serait plus facile, vous voulez dire sans doute : pour vous, *mais vous ne terminez pas votre phrase.*
Maladie 30*

Vous demandez : Quelle maladie ?
Elle dit qu'elle ne sait pas encore le dire.
Ibid. 18*

Il ne sait plus dire aucun autre mot.
Night 163

Nous approchons ainsi du silence, d'une sorte d'impossibilité à dire, d'une ignorance première, totale, qui hante l'œuvre depuis au moins *Moderato cantabile* ou les fameuses dénégations d'*Hiroshima mon amour :*

LUI

Tu n'as *rien* vu à Hiroshima. Rien.

ELLE

J'ai *tout* vu. *Tout.*

. . . .

ELLE, *bas*

Écoute...
Je sais...
Je sais *tout.*
[...]

LUI

Rien. Tu ne sais *rien.*

Hiroshima 22 et 30*

Ce n'est pas la peine d'essayer de comprendre. On ne
peut pas comprendre à ce point.
    [...] Mais je ne sais rien. Il ajouta tout bas : « Je ne
sais rien, comme vous. Rien. »

Moderato 150-151

Chaque fois, on ne sait plus rien, chaque fois...

Agatha 10

Vous ne sauriez jamais rien non plus, ni vous ni personne, jamais [...]. Elle ne sait pas elle-même.

Maladie 19

40

Jusqu'à cette nuit-là vous n'aviez pas compris comment on pouvait ignorer [...]. Vous découvrez cette ignorance.

Vous dites : Je ne vois rien.

Ibid. 22

On voit comment l'énonciation de ce non-savoir fondamental a partie liée avec un trait stylistique central chez Duras : l'hyperbole, figure de l'infigurable. Examinons un moment ses modalités, avant de revenir au « rien » qui la fonde.

Parfois, elle est presque évitée : l'énumération tente de s'y substituer, d'*épuiser* l'innombrable, l'illimité :

Mais vous, de là où vous serez, où que ce soit, que vous ayez partie liée avec le sable, ou le vent, ou la mer, ou le mur, ou l'oiseau, ou le chien...

H. atlantique 12-13

Parfois aussi, l'énumération est résumée, mimée par la locution « beaucoup de », presque déjà hyperbolique à elle seule :

Elle dit qu'elle a entendu et lu aussi *beaucoup de* fois cette histoire, partout, dans *beaucoup de* livres.

Maladie 52*

Mais le plus souvent, on y renonce. Le mot « tout », substantif ou pronom indéfini (ou tel de ses dérivés) suffit, comme on a vu, à désigner, d'un coup, le grand nombre et l'impossibilité de dénombrer, de détailler, de nuancer.

Je suis ce dont est fait le tout de l'horreur même [1].

---

1. Entretien cité avec Leslie Kaplan, p. 56.

Avec soin elle la met à nu dans sa totalité.

H. assis 24

Agatha [...], elle nage loin, au-delà des balises auto-risées, au-delà de tout...

Agatha 22

Ou bien, c'est le superlatif avec « complètement », si en vogue dans les années soixante-dix, ce sont des formules globalisantes comme « d'ordre général », c'est la tournure avec l'adjectif indéfini « aucun » péremptoirement placé après le substantif :

un doute d'ordre général [1]...

elle [votre absence] est sans épaisseur aucune désor-mais, sans possibilité aucune de s'y frayer une voie.

H. atlantique 15

Ter est vraiment sans ruse aucune et sans orgueil, sans le moindre.

Douleur 175

L'adjectif constitue souvent l'hyperbole à lui seul, jouant, dans sa violence ou son excès, un rôle de superlatif absolu :

il est dans un éclairement solaire d'une blancheur *effrayante.*

H. assis 13*

On dirait qu'elle se repose d'une fatigue *immémoriale.*
Maladie 24*

---

1. Entretien cité avec D.N. sur *Le Navire Night* (voir ci-dessous, p. 235).

le déchaînement des passions *entières, mortelles.*

Ibid. 21*

Certaines répétitions ou pléonasmes, enfin, ont également valeur hyperbolique :

si jamais [...] l'envie vous venait [...] d'en *jouir* seulement de *jouissance...*

Ibid. 19*

Vous allez *mourir* de *mort.*

Ibid. 48*

Maintenant, quittons un moment le strict niveau linguistique ou grammatical, observons, à un niveau en quelque sorte infra-sémantique, la tonalité de ces hyperboles. Parfois, certes, elles échangent leurs valences, se contredisent et se renforcent dans la même phrase, forment donc des *oxymores* :

Vous regardez cette forme, vous en découvrez en même temps la puissance infernale, l'abominable fragilité, la faiblesse, la force invincible de la faiblesse sans égale.

Ibid. 31

Elle a cette noblesse de la banalité.

Camion 65

Mais la plupart du temps, nous le verrons plus loin à propos d'*India Song*[1], elles sont négatives, conduisent ou ramènent au « rien ». Car c'est de là, de cette nuit, de ce non-savoir, de ce non-lieu, que tout semble partir :

---

1. Voir ci-dessous, p. 67 sq.

Où est-on?

India Song, plan 7,
Son nom de Venise, plan 10

Où est-on ici?

Douleur 189

Nuit pascalienne? *Tabula rasa* cartésienne? L'expérience qui commence est parfois celle d'un non-*cogito*, d'une absence de la conscience à elle-même :

> L'absence ici serait celle de Cézanne à lui-même devant ce qu'il voit [1].

(C'était, déjà, l'absence de Lol V. Stein après la nuit du bal de T. Beach :

> Elle se croit coulée dans une identité de nature indécise qui pourrait se nommer de noms indéfiniment différents...

Ravissement 46

C'était, aussi, l'absence des fous de *L'Amour* et de *La Femme du Gange*, l'absence de la Mendiante...) Mais, pour mettre un terme à cette embardée vers le sens, les mots mêmes – la préposition « face à », par exemple, si fréquente – suggèrent bien plus souvent la pleine conscience du moi confronté au monde ou à l'autre :

> C'est ainsi que vous vous tenez *face à moi*...

H. atlantique 31*

---

1. Entretien cité avec Leslie Kaplan, p. 55.

Face à la mer noire, *contre* le mur de la chambre où elle dort, vous pleurez sur vous-même...

Maladie 28*

... face à vous, à vos yeux.

Agatha 14*

Nous sommes pareils *devant* ce départ.

Ibid. 15*

Comme ramassés sur eux-mêmes dans la confrontation, comme repliés dans une insurmontable tautologie égotique, les ego durassiens sont ainsi pareils aux monades leibnitziennes :

... dans le déferlement milliardaire des hommes autour de vous, *vous êtes le seul à tenir lieu de vous-même auprès de moi...*

H. atlantique 10*

Quand vous avez pleuré, c'était sur vous seul et non sur *l'admirable impossibilité de la rejoindre à travers la différence qui vous sépare.*

Maladie 56

Entre eux, devant eux, du vide, un espace vide que les événements d'ordre psychologique « atteignent », « rejoignent », « emplissent », occupent :

... l'expression du désir ne serait pas *atteinte*[1].

... cette activité parcellaire [...] qui tue l'individu dans sa faculté heureuse de *rejoindre* le dehors[2].

---

1. *Entretien cité avec Leslie Kaplan*, p. 58.
2. *Ibid.*, p. 57.

Tous ces efforts sont faits pour *éloigner* le silence. [...]
Si le silence n'était pas *repoussé* par les deux hommes...

Douleur 191*

Par moments [...] [l'odeur] revient, affreuse, elle *remplit* l'été.

Ibid. 188*

Le malheur *s'étend* dans la chambre en même temps
que *s'étend* son sommeil.

Maladie 17*

Ainsi, comme parfois chez... Sartre, c'est par la métaphore spatiale – par ces sortes de concrétisations tridimensionnelles, de spatialisation du psychologique – que Duras s'écarte de l'abstraction. Car, revenons-y, pour toutes sortes de raisons (que nous avons parfois suggérées, mais qui ne relèvent pas d'une analyse stylistique), l'écriture durassienne est d'abord et spontanément et, parfois, obstinément *abstraite*.

Il y aurait bien des façons de repérer et de décrire ce trait fondamental que nous examinerons plus loin, jusqu'en ses conséquences cinématographiques, dans *India Song*. Relevons simplement ici, presque sans ordre :
– la substitution du substantif abstrait au verbe ou à l'adjectif qu'on attendrait :

Vous le voyez ensuite [le corps] retomber, inerte, sur
la blancheur du lit [= sur le lit blanc]

Ibid. 40*

J'entends *l'éclatement* du rire de Robert L.
[= j'entends Robert L. éclater de rire]

Douleur 108*

– les séries de mots abstraits compléments l'un de l'autre, chacun ainsi dissocié de l'autre comme par l'effet d'une analyse :

> ... avec cette fonction mortelle du manque d'aimer.
> *Maladie* 50

> ... par là j'entends la putréfaction de l'entente du bonheur des amants.
> *H. atlantique* 19

– l'hypallage (sur le modèle du virgilien « *ibant obscuri sola sub nocte per umbram* », où l'obscurité de la nuit est attribuée aux héros, et leur solitude, inversement, à la nuit), l'hypallage, donc, qui accole l'abstrait au concret :

> ... ce fleuve *colonial* de notre enfance... [= ce fleuve que nous avons connu quand nous étions enfants aux colonies]
> *Agatha* 25*

> Elle passe légèrement la main dans *le désordre blond* de ses cheveux... [= dans ses cheveux blonds en désordre]
> *Moderato* 127*

et particulièrement cette sorte d'hypallage où la réaction de la conscience à un phénomène est pour ainsi dire attribuée à ce phénomène même comme partie de son essence :

> ... elle est séparée de l'ombre intérieure de la maison par *l'aveuglement* de la lumière d'été.
> *H. assis* 8*

... *l'éblouissement* de la lumière...

Ibid. 19*

– le remplacement de l'adjectif ou du participe passé par la tournure avec « dans » – « être dans », « se tenir dans ». C'est une des préférées de Duras :

> J'entends le ton haletant et affolé des journalistes de Jeux sans frontières, comme s'ils étaient *dans l'épouvante* de ne pas faire rire assez...
>
> *Été 80,* 59*

> L'enfant pousse un cri *dans* une sorte de *bonheur* soudain.
>
> *Douleur* 192*

> Elle se tient là, aujourd'hui, *dans la laideur.*
>
> *H. assis* 12*

Par elle, la qualité attribuée n'est pas délayée dans la molle individualité de l'adjectif (« elle est laide »), mais donnée tout entière (« la laideur ») et référée ensuite au sujet (« elle se tient dans »). Tournure platonicienne, comme on voit, qui part de l'*eidos*, du concept – quand celui-ci n'a pas de nom, on l'invente (l'abstraction durassienne peut aller jusqu'au néologisme) :

> ... il y a un *subissement* chez Lol V. Stein [1]...

> ... cette pensée vient [...] d'une espèce de *sempiternalité* océanique [2].

---

1. Entretiens avec Dominique Noguez, in *Œuvres cinématographiques, édition vidéographique critique,* Paris, ministère des Relations extérieures, Bureau d'animation culturelle, 1984, p. 25.
2. Entretien cité avec Leslie Kaplan, p. 56.

– pour redescendre vers l'existant singulier, pour *s'incarner*. Ce mouvement, qui s'aperçoit dans le choix des mots, s'observe aussi dans l'élaboration de la fiction. C'est le moment d'analyser un dernier ensemble de faits stylistiques durassiens.

Le film *Le Camion* a mis en valeur, mieux qu'aucune autre œuvre de Duras, ce qu'on pourrait appeler le *potentiel* narratif, ce conditionnel des enfants qui jouent et imaginent à voix haute des fictions, les soirs d'été (ou d'hiver), dans les champs (ou dans les chambres) :

Ç'aurait été une route au bord de la mer.

Camion 10

Grammaticalement, c'est le conditionnel passé (première forme) qui est utilisé; sémantiquement, ce n'est pourtant pas un « irréel » (c'est-à-dire une manière de désigner un fait qui ne peut plus se réaliser). Ce que le conditionnel passé énonce ici, c'est quelque chose qui *pourrait* se passer et qui, même, par la volonté de l'auteur, *se passe*, à moitié sous nos yeux (les plans du camion bleu sur les routes de la Beauce au petit matin) et à moitié dans notre imagination complice :

Ç'aurait été un film.
(*Temps*)
C'est un film, oui.

Ibid. 11-12

Le conditionnel est ici le mode du *fiat* créateur, avec tout l'arbitraire et en même temps toute la force irrévocable d'un décision suivie d'effet. Le présent, voire l'imparfait de l'indicatif (mode du *réel*) – mais un imparfait énoncé depuis un futur, comme si, en l'an 2020, quelqu'un confirmait ce qui est censé avoir eu lieu en 1977 –, vient d'ailleurs régulièrement entériner, *avérer* ces décisions fictionnelles :

> Ça se passait il y a des années. Dans des temps anciens.
>
> *Camion* 68

Or cette manière d'avancer peu à peu du pur possible au réel attesté, de construire la fiction devant nous, est fréquente chez Duras. Marquée, dans les textes, par le basculement entre conditionnel et indicatif, comme on vient de le voir, elle s'observe, dans les films, à tous les effets de distanciation importés du théâtre (ainsi, dans *India Song*, à la contemplation, par l'actrice Delphine Seyrig, de la photo du personnage qu'elle est censée *représenter*). On est ainsi, constamment, dans l'*entre chien et loup* de la création.

Ce jeu se joue parfois *dans* la fiction, entre deux personnages. Par exemple, évidemment, dans le scénario d'*Une aussi longue absence*. Par exemple aussi dans *Moderato cantabile*, quand Chauvin évoque devant Anne Desbaresdes cette vision qu'il a d'elle portant entre ses seins nus sous sa robe une fleur de magnolia :

> – Je ne me souviens pas d'avoir cueilli cette fleur. Ni de l'avoir portée [dit Anne Desbaresdes].
>
> *Moderato* 111

Ou encore entre le frère et la sœur d'Agatha :

> LUI (*les yeux fermés*). – Je te vois. Tu es toute petite. D'abord. Et puis ensuite tu es grande.
> ELLE. – Où est-ce ?

LUI. – Sur la plage. (*geste*) Là. [...]

Agatha 20-21

ELLE. – C'était il y a longtemps maintenant, vous viviez encore avec nous [...].
LUI. – Je crois me souvenir. [...]

Ibid. 24 et 26

ELLE. – Après, nous avons visité l'hôtel [...].
LUI. – Vous inventez. (*temps*)
ELLE. – Je ne sais pas. Je ne crois pas.

Ibid. 20

Mais, le plus souvent, ces incertitudes, dont on ne sait si elles sont de la mémoire ou de l'imagination, sont assumées directement par l'auteur, prise entre le caprice de l'invention et le contraire du vrai, sorte de Pygmalion passant et repassant la limite qui sépare la fabrication de Galatée-statue et la description de Galatée vivante (*Le Camion* étant de ce point de vue un cas intermédiaire, central, puisque l'auteur y est aussi personnage : dans la fiction *et* hors d'elle) :

L'homme *aurait été assis* dans l'ombre du couloir [...]. Après, très loin, et jusqu'à l'horizon, il y a un espace indécis, une immensité toujours brumeuse qui *pourrait être* celle de la mer.
La femme *s'est* promenée sur la crête de la pente...

H. assis 7-8*

Chaque jour *elle viendrait.* Chaque jour *elle vient.* [...]
Elle arriverait avec la nuit. *Elle arrive* avec la nuit.

Maladie 11-12*

Les *Aurélia Steiner* (*Melbourne* et *Vancouver*) sont ici significatives. La narratrice (l'auteur? son double fantasmé : une petite Juive de 18 ans?) interpelle, invoque quelqu'un qui n'existe peut-être pas, peut-être plus :

> Où êtes-vous?
> Que faites-vous?
> Où êtes-vous perdu?
>
> *Night* 119

Et, peu à peu, sous nos yeux, par cette extrême tension de la fonction conative, comme dirait Jakobson — c'est-à-dire de toutes les manières de centrer le message sur le destinataire —, peu à peu, donc, une forme s'emplit, s'impose, vit à l'indicatif, est décrite :

> Petit à petit, sans que j'en sente rien venir, vous me revenez de l'exil de la nuit, de l'envers du monde, cette ombre noire, dans laquelle vous vous tenez. Vous traversez la ville. Je vous vois rejoindre un hôtel du port. Aujourd'hui vous êtes un marin à cheveux noirs...
>
> *Ibid.* 154

... Décrite, non plus inventée : voici bientôt l'auteur comme incrédule, humble devant ses propres visions, à leur merci, contrainte à une stricte objectivité. Et rejoignant désormais, dans son style, la technique « behavioriste » de certains romanciers, marquée par la pure et simple observation extérieure, par la « vision du dehors », comme disait Jean Pouillon en 1946, dans *Temps et Roman*. Elle est comme un spectateur de sa propre pièce, un parmi d'autres, n'en sachant pas plus que les autres :

C'est ce que je vois d'elle.

H. assis 9

Je ne vois plus rien au-delà des faits.

Ibid. 24

Il y a là un homme et une femme. Ils se taisent. On peut supposer qu'ils ont beaucoup parlé avant que nous les voyions. Ils sont très étrangers au fait de notre présence devant eux.

Agatha 7

De là ce ton strictement objectif, neutre, plein de lacunes :

Et puis on la perd. Et puis après on la retrouve encore.

Amant 108

On ne peut pas dire si ses yeux sont entrouverts ou fermés.

H. assis 19

Il n'est pas impossible que cet homme ait froid.

Moderato 134

Avec parfois encore, à peine, des velléités de marquer son pouvoir discrétionnaire d'auteur. À peine.

Je crois que les yeux fermés devraient être verts.

H. assis 13

De là ces tournures passives, ces descriptions qui rattachent un moment Duras à l'école du regard, du « nouveau roman » (comme on disait dans les années soixante).

Ils [les sanglots] *sont retenus* au bord de vous comme extérieurs à vous, ils ne peuvent pas vous rejoindre afin d'*être pleurés* par vous.

Maladie 27*

Les yeux *auraient été de nouveau refermés* sur la couleur verte entrevue.

H. assis 19*

De là ces articles définis (au lieu des possessifs qu'on attendrait) qui sont comme la marque d'une distance, presque d'une indifférence :

La tête est toujours détournée du corps.

Ibid. 12*

... *le* pied hésite, et lourdement se descelle *du* corps...

Ibid. 20*

Le visage est laissé au sommeil, il est muet, il dort comme *les* mains.

Maladie 26*

Les yeux sont fuyants.

Vice-consul 129*

On voit comment, dans l'écriture de Duras, Racine ou Péguy rejoignent Butor ou Robbe-Grillet. Tout en la faisant différente d'eux. Parataxes, répétitions, abstractions, conditionnels, style « objectif » : on pourra discuter les liaisons que j'ai peut-être imprudemment établies entre ces faits stylistiques (et quelquefois en faisant des incursions du côté du sens, en trahissant donc le contrat presque impossible que je m'étais imposé en commençant). Au moins admettra-t-on leur existence. Et au moins nous obligeront-ils à nuancer l'analyse d'un des styles les plus reconnaissables de la littérature contemporaine. Il peut atteindre au plus juste des sentiments, des gestes, des formes, des couleurs, au plus concret du concret, mais c'est en dominant une fondamentale tendance à l'abstraction. Il est tourné vers le sublime, c'est-à-dire l'au-delà de la rhétorique, mais n'y atteint qu'au prix d'un long commerce avec elle, d'un emploi très friand de l'oxymore, de l'hypallage, de la paronomase, du polyptote ou de la dérivation [1]. Il peut même être dit précieux. Mais il est simple. Il a la préciosité de la simplicité. C'est que préciosité est ici le contraire de maniérisme. Préciosité est à entendre dans le sens que voici : on emploie les mots en connaissance de cause, en connaissance de leur prix. Un à un en connaissance de cause. Un à un rayonnant, en attente d'être dit – dit par une voix comme celle de Duras, qui les transfigure ou plutôt leur donne leur vrai timbre, leur plénitude, leur gloire.

1. Paronomase : « ... chacune des parties de ce corps témoigne à elle seule de sa totalité, la main comme les yeux, le bombement du ventre comme le visage, les seins comme le sexe, les jambes comme les bras, la respiration, le cœur, les *tempes*, les *tempes* comme les *temps*. » (*Maladie*. 27*)

CHAPITRE II

LE CYCLE D'*INDIA SONG*

1975 est l'année d'*India Song*. Mais *India Song* commence avant et continue après. Il y a plusieurs *India songs*. D'abord *Le Ravissement de Lol V. Stein* (1964), *Le Vice-consul* (1965), *L'Amour* (1971) : les matrices littéraires. Puis la radio et le théâtre : *India Song* a commencé par être un texte de théâtre (écrit en août 1972), puis a été enregistré pour l'Atelier de création radiophonique de France Culture. Enfin, le cinéma : *La Femme du Gange* (1973), *India Song* proprement dit (tourné en 1974) et *Son nom de Venise* (1976). Marguerite Duras procède souvent ainsi – qu'on se souvienne du *Square* ou de *Des journées entières dans les arbres* –, « délogeant », « déplaçant [1] » personnages ou voix d'un moyen d'expression vers l'autre. On aurait cependant tort de voir là des adaptations ou des transcriptions. C'est un même texte, poursuivi, repris, obsessionnellement repris, c'est l'épuisement des mêmes fantasmes. Simplement, son centre irradiant – le bal d'S. Thala –, directement présent dans *Le Ravisse-*

---

1. Comme il est dit dans les « remarques générales » d'*India Song*, Paris, Gallimard, 1973, pp. 9-10.

ment, est évoqué de biais, en creux, *autour*, dans *La Femme du Gange*, et presque estompé dans *Le Vice-consul*, *India Song* et *Son nom de Venise*, où un autre bal, le bal de l'Ambassade de France à Calcutta, le supplante. Et de même les Indes : très épisodiquement nommées dans *Le Ravissement* [1], elles prennent ensuite la place des lieux de l'Atlantique ou de la Manche – S. Thala, T. Beach, U. Bridge – où s'ancrent ce roman et *L'Amour*, et *La Femme du Gange*. Les personnages suivent cette manière de vie de plante, croissent ou décroissent : Lol V. Stein disparaît presque, cependant que le Vice-consul de Lahore, inexistant au début, prend une importante pathétique ; Michael Richardson, qui est l'enjeu du *Ravissement*, n'est plus dans le film *India Song* qu'un jeune homme parmi d'autres dans la cohorte des amants interchangeables d'Anne-Marie Stretter – et même moins important que les autres, puisque, contrairement par exemple au Jeune Attaché, il n'a pas de *voix*.

Mais ces différences n'altèrent pas l'unité de cette œuvre à plusieurs entrées. Ce ne sont que variations de perspective – de regards. Pour autant qu'on puisse en assigner un à chaque texte – Jacques Hold au *Ravissement*, Peter Morgan à certains chapitres du *Vice-consul* –, le narrateur, en effet, varie, par quoi l'on pourra penser au *Quatuor d'Alexandrie* de Durrell ou à quelque autre grande polyphonie romanesque. Ou bien, dans le même opus, un événement sera rapporté deux fois – ainsi, dans le film *India Song*, la tentative de suicide d'Anne-Marie Stretter et de Michael Richardson : une fois par la Voix 1, sur le mode hypothétique ; une autre fois par la Voix 4, plus précise (car les

---

1. *Op. cit.*, pp. 29, 31, 120.

Voix elles-mêmes ne parlent pas du même lieu, n'ont pas les mêmes certitudes : l'une sait, l'autre questionne, l'une délire, l'autre souffre, etc.). Mais de même qu'au cinéma le mouvement des figures sur un fond fixe donne l'illusion du relief, de tels déplacements donnent à la *diégèse* un surcroît de vraisemblance et plus d'épaisseur au fantasme : les événements ont été là, sont là – en deçà des mises en scène, des évocations successives. En outre ces œuvres qui se recoupent se font écho, créant une extraordinaire *stéréophonie*, dont le jeu de palimpseste qui s'établit entre *India Song* et *Son nom de Venise* n'est que la forme la plus spectaculaire : cependant que défilent les images de *Son nom de Venise* (façades lépreuses, salons en ruine, allées désertes), la bande sonore commune aux deux films réveille par association les images d'*India Song*. En fait, l'écho va plus loin, renvoie de proche en proche aux livres – jusqu'à *Moderato cantabile* même, avec son leitmotiv de piano et cette passion, déjà, pure, non consommée, vertigineusement hantée par la mort, que les Voix semblent évoquer lorsqu'elles disent :

VOIX 1

Si je vous le demandais, accepteriez-vous de me tuer ?

VOIX 2

Oui [1].

Or qu'abritent, dans la profondeur et l'unité ainsi ménagées, ces œuvres superposées ? Quelle révélation ? Quelles relations particulières entre les êtres ? C'est toujours, à telle

---

1. *La Femme du Gange*, in *Nathalie Granger*, suivie de *La Femme du Gange*, Paris, Gallimard, 1973, p. 182.

ou telle étape de son déroulement, la même histoire, à la fois connue et surprenante, simple et perverse – *archi-histoire*, en vérité, tant elle paraît transcender les acteurs qui l'incarnent provisoirement. Certes, la parole durassienne n'est pas désincarnée (si elle tend constamment, nous l'avons vu, comme par une secrète incandescence, à l'abstraction la plus pure) : elle passe – avec quelle vibration pathétique ! – par des noms, des visages, des regards, des bruits, des couleurs, des odeurs (toute la moiteur de l'Inde aussi, et cette chaleur terrible qui pèse sur *India Song*). Mais ces noms varient [1]. Mais ces visages, ces lieux, ces couleurs sont des péripéties – les modes d'une substance.

Cette substance est la passion. Non celle que décortiquent les manuels de psychologie. La passion qui foudroie. Quelque chose qu'il est difficile d'appeler encore *amour*. Quelque chose qui a partie liée avec la folie et la mort et qui laisse les êtres calcinés, errants, sans mémoire [2]. Les cris semblables de Lol V. Stein et du Vice-consul en plein bal n'en sont pas la moindre manifestation. Les fous de *La Femme du Gange*, les Voix d'*India Song* (du moins les Voix 1 et 2, « atteintes de folie ») font partie de ses victimes tragiques. Or cette passion, nous allons le voir, est toujours fantasmatiquement *fixée* à un certain point de l'espace et du temps.

---

1. Le Michael Richardson du *Ravissement* est Michael Richard dans *Le Vice-consul* et redevient Richardson dans *La Femme du Gange* et *India Song*. « India Song », précisément, est « Indiana Song » dans *Le Vice-consul*.

2. La passion ne frappe cependant pas au hasard. Elle touche des êtres *prédisposés*. L'enfance, les années de collège de Lol (*Ravissement*, pp. 10-11) ou du Vice-consul (*op. cit.*, pp. 82-88) sont évoquées comme des clefs.

Les noms changent, disais-je. À la limite, ces foudroyés n'ont plus de nom. Lol V. Stein revenue à S. Thala « se croit coulée dans une identité de nature indécise qui pourrait se nommer de noms indéfiniment différents [1] ». Ainsi, plus tard, la femme du *Camion*. Cette identité sans nom n'est cependant pas indéterminée : elle s'ancre dans des lieux. Elle est passée dans les murs ou le sol, « là [...] dehors, maintenant, répandue... brûlée [2] ». Ainsi, dans *Son nom de Venise*, la présence immobile des quatre femmes, d'abord dans l'ombre, puis éclairées, effigies muettes des Voix, mémoire des lieux. Il y a des lieux obsessionnels chez Marguerite Duras : les tennis déserts, par exemple – avec la bicyclette rouge d'Anne-Marie Stretter. Les plus importants sont des lieux clos, « sacré[s] au sens ancien, séparé[s] », dit bien Blanchot [3]. *Nathalie Granger* était le film d'une maison. Dans *La Femme du Gange*, voici une autre maison, « remplie jusqu'au toit d'une même lumière, d'une " chaleur " égale »; « en une seule elle est toutes les demeures de L.V.S. [4] ». Lieux chauds, oui, brûlants, lieux du fantasme.

Parmi tous ces lieux-événements, il en est un qui brûle plus que tous les autres, qui flamboie jusqu'à la fin des temps : le bal de T. Beach. « Il aurait fallu murer le bal », pense Lol – oui, comme un lieu. « En faire ce navire de lumière sur lequel chaque après-midi Lol s'embarque mais

.1. *Le Ravissement de Lol V. Stein, op. cit.*, p. 46.
2. *La Femme du Gange, op. cit.*, p. 179.
3. *Marguerite Duras*, Paris, Albatros, coll. « Ça » cinéma, 1975, p. 101.
4. *La Femme du Gange, op. cit.*, p. 142.

qui reste là... [1] » Le bal de T. Beach est une « épave ». C'est une « demeure [2] ». Nous sommes là au centre aveuglant de l'œuvre. C'est là que tout, une nuit, a lieu. A lieu, au présent – continue d'avoir lieu, comme un épanchement qui ne cesse pas. Tout compte : les plantes vertes du bar, la lumière, l'air à la mode qu'on joue, « le corps long et maigre de l'autre femme », l'aurore qui vient, le cri de Lol. « Sur quoi pleurez-vous ? » demande l'une des Voix de *La Femme du Gange*. « Sur l'ensemble » est-il répondu [3]. L'ensemble : l'événement qui va foudroyer avec tout son décor, gelé à jamais dans la mémoire, la *scène primitive* – si l'on consent à ne retenir du sens freudien de cette expression que l'idée de spectacle fondamental et traumatisant –, un bloc de douleur et de folie.

En plein bal – en une danse –, donc, Lol se fait voler par une autre femme (plus âgée qu'elle) l'homme qu'elle aime. Situation œdipienne, murmurera-t-on, si l'on admet qu'Anne-Marie Stretter joue le rôle de la mère. Et à ceci près qu'ici le tiers exclu aspire moins à éliminer le rival (la rivale) qu'à lui laisser voluptueusement la place – tout en *restant*. Oui, être quand même là, se joindre au duo, être dans le duo, *être* le duo, « toujours au centre d'une triangulation dont l'aurore et eux deux [les amants] sont les termes éternels [4] ». Être là quand Michael Richardson dévêt lentement Anne-Marie Stretter de sa

---

1. *Le Ravissement de Lol V. Stein*, op. cit., p. 55.

2. *Ibid.*, p. 51.

3. *La Femme du Gange*, op. cit., p. 132. Et de même, le Voyageur (*ibid.*, p. 118) : « [...] c'est-à-dire... Je me souviens... c'est ça... je me souviens.../ LA FEMME, *temps, brutale* : De quoi ? [...]/ LE VOYAGEUR : ... De tout... de l'ensemble... » Ou encore, *ibid.*, p. 174.

4. *Le Ravissement de Lol V. Stein*, op. cit., p. 52.

robe noire ; être avec ce geste « chair à chair, forme à forme [1] » : « Le corps long et maigre de l'autre femme serait apparu peu à peu. Et dans une progression rigoureusement parallèle et inverse, Lol aurait été remplacée par elle auprès de l'homme de T. Beach. [...] À mesure que le corps de la femme apparaît à cet homme, le sien s'efface, volupté, du monde [2]. » Jamais peut-être – et Lacan a pointé l'importance de ce « thème de la robe » et du fantasme qu'il « supporte [3] » – on n'a si bien fait l'archéologie – faut-il dire la phénoménologie ? – du voyeurisme. « LES SUIVRE / LES VOIR / LES AMANTS DU GANGE : LES VOIR » – redira *India Song* [4]. Voir : c'est-à-dire à la fois y être et n'y être pas. *Voir* comme substitut d'un impossible *être*, voir comme retirement, retraite. C'est bien là le fantasme central – et qu'on retrouve plus tard quand Lol observe d'un champ de seigle la fenêtre de la chambre où Tatiana

---

1. *Ibid.*, p. 55.
2. *Ibid.*, p. 56.
3. *Marguerite Duras, op. cit.*, p. 95.
4. *Op. cit.*, p. 38. Et déjà, dans *La Femme du Gange* (*op. cit.*, p. 164) :

« VOIX 1, *temps*

À la fin du bal elle a *crié*, j'en suis sûre... Quoi ?

VOIX 2

Qu'elle veut les *SUIVRE* pour ne pas cesser de les *VOIR*.

VOIX 1

... de les *voir*.

VOIX 2

Oui.
VOIR L'AMOUR. »

Voir aussi *Le Ravissement de Lol V. Stein, op. cit.*, pp. 121 et 123.

Karl et Jacques Hold font l'amour. En vérité il ne s'agit pas *vraiment* de voir. Lacan dit juste : Lol « ne voit rien [1] » – ou peu de choses. Il ne s'agit, de nouveau, que de « délicieusement ressentir l'éviction souhaitée de sa personne [2] ». On sait d'ailleurs que Lol ne pourra faire l'amour avec Jacques Hold que folle, se prenant pour Tatiana, devenue Tatiana – et elle, Lol, évincée. Par là, Lol rejoint la procession des héros durassiens – est leur modèle. Le Vice-consul, tiers exclu lui aussi d'une impossible triangulation, mêmement « foudroyé par l'évidence de l'impossible » – comme il est écrit de Lol [3] –, dira semblablement à Anne-Marie Stretter : « Je vous aime [...] *dans* l'amour de Michael Richardson [4]. » Défaite résignée du masochisme ou détour de l'ascèse, le héros durassien se voue à un amour par procuration.

« Héros » : ce terme oublié va bien ici. Les personnages de Marguerite Duras sont de la famille de ceux de Mme de La Fayette. Leur lieu est au-delà de la chair. Certes, la chair n'est pas absente – dans le film *India Song*, le sein nu de Delphine Seyrig est souverainement chair, est la chair –, mais elle est dépassée. Déjà, les protagonistes de *Moderato* s'en tenaient à un baiser presque symbolique : « Elle s'avança vers lui d'assez près pour que leurs lèvres puissent s'atteindre. Leurs lèvres restèrent l'une sur l'autre, posées, afin que ce fût fait et suivant le même rite mortuaire que leurs mains, un instant avant, froides et trem-

---

1. *Marguerite Duras, op. cit.*, p. 97.
2. *Le Ravissement de Lol. V. Stein, op. cit.*, p. 143.
3. *La Femme du Gange, op. cit.*, p. 141.
4. *India Song, op. cit.*, p. 96*.

blantes. Ce fut fait [1]. » Et plus loin : « On va donc s'en tenir là où nous sommes, dit Chauvin. » De même, dans *India Song*, le Vice-consul déclare, comme en écho, à Anne-Marie Stretter : « Il est tout à fait inutile qu'on aille plus loin, vous et moi [2]. »

Pour être juste, l'analyse doit ici relier le microcosme durassien au macrocosme de l'Histoire, qui l'englobe : elle doit dire le paradoxe – l'audace et la grandeur peut-être – qu'il y a, en 1974, année même de l'expansion débridée, en France, du cinéma pornographique, au plus épais donc de la société de consommation (sexuelle), à réserver ainsi la place et les droits de la passion la plus chaste. Même paradoxe, même anachronisme revendiqué, même « extrême solitude [3] », en un sens, que ceux qu'assumera trois ans plus tard, la chasteté en moins, l'auteur des *Fragments d'un discours amoureux*.

Cette passion pure est évidemment inouïe ; elle dépasse les *limites* et atteint bientôt cette zone où « les contraires sont identiques », comme dit Bataille à la fin des *Larmes d'Éros*. L'extrême souffrance, neutralisée comme par quelque morphine intérieure, s'y transmue en *extase* (ne serait-ce qu'au sens étymologique de sortie de soi) : « Aucun signe de souffrance. Aucune souffrance. Le corps pleure comme celui du Fou dansait. Mais la tête explosée n'est pas atteinte par la douleur. » Telle est Lol parmi les fous de *La Femme du Gange* [4]. Cette ec-stase est une pri-

---

1. *Moderato cantabile, op. cit.*, pp. 152-153. La citation suivante est extraite de la p. 154.

2. *India Song, op. cit.*, p. 97.

3. Roland Barthes, *Fragments d'un discours amoureux*, Paris, Le Seuil, coll. « Tel quel », 1977, p. 5.

4. *Op. cit.*, p. 152.

vation de douleur, une privation d'identité (on l'a vu) et d'abord aussi une privation de tout sens – comme d'un cerveau, d'un corps morts :

JE VOUS AIME JUSQU'À NE PLUS VOIR
NE PLUS ENTENDRE
MOURIR...

dit la Voix 2 d'*India Song*[1]. Et de même les amants d'S. Thala :

N'entendaient plus rien
Ne voyaient plus rien[2].

Tels sont les êtres foudroyés par la passion durassienne : déconnectés. Et encore : sans mémoire, *perdus* comme la Mendiante du Gange dont l'histoire parcourt romans et films en filigrane et qui est leur métaphore à tous.

Au-delà de la chair, d'eux-mêmes, du monde : où sont-ils ? Dans quel lieu ? *Tragique* n'est pas assez fort, ou l'est trop – fait songer toujours à quelque fatalité qui n'existe pas ici. Il y a un autre mot, à quoi conduit aussi *La Princesse de Clèves*, et qu'on peut accepter à condition de l'écouter nouvellement et, jouant les Socrate du *Cratyle*, de réinventer son étymologie (d'ailleurs incertaine) : *sublime*. Il faudrait alors y percevoir l'idée de seuil (*limen*), de limite (*limes*) – seuil et limite approchés (*sub*) et dépassés, transgressés. Et l'idée de transmutation, puisque sublimation, qui en dérive, est un mot d'alchimiste, et désigne le passage direct de l'état solide à l'état gazeux. Oui, tenir ces deux idées : quelque chose est outrepassé et quelque

---

1. *Op. cit.*, p. 21.
2. *Ibid*, p. 37.

chose éclate, se pulvérise. Et ainsi on est loin, haut, dans les airs. En dehors de l'Histoire, oubliés de l'Histoire – même si *India Song*, le film, l'évoque d'une phrase à la fin. Sublime : un sublime qui serait autant celui de la folie que celui de *La Princesse de Clèves* – d'une *Princesse de Clèves* où le sens de l'honneur, de ce qu'on se doit est remplacé par... rien, par le rien.

Or ce qu'il faudrait montrer, c'est que l'écriture de Marguerite Duras, analysée plus haut – ces bribes calcinées, quelques verbes répétés, substantifs sans chair (sans le gras des adjectifs, des pronoms) –, son écriture non seulement littéraire, mais aussi cinématographique, est en adéquation, en équivalence parfaite avec ce qu'elle signifie. Genette, reprenant Hjelmslev (la grande critique aidée de la grande linguistique), dirait : l'expression et le contenu ont la même forme. Le sublime est précisément autant une catégorie du dire que de l'être, et qui a été souvent analysée par la rhétorique.

Ce que la rhétorique peut d'abord nous aider à voir, comme nous l'avons vu au début de ce livre, c'est que l'une des rares figures que tolère le sublime est l'hyperbole, figure du paroxysme et de l'excès. *La Princesse de Clèves*, revenons-y, s'ouvre et se clôt sur une hyperbole [1], elle en abrite des centaines, elle n'est qu'hyperbole. Le duc de Nemours, on s'en souvient, est « un chef-d'œuvre de la nature, [...] l'homme du monde le mieux fait et le plus beau » ; Mademoiselle de Chartres, future princesse de Clèves, « était

---

1. « La magnificence et la galanterie n'ont jamais paru en France avec tant d'éclat que dans les dernières années du règne de Henri second... » ; « ... et sa vie, qui fut assez courte, laissa des exemples de vertu inimitables. »

d'une beauté parfaite», etc. L'hyperbole ne hante pas moins le texte durassien. N'est-ce pas la figure de la passion ? Par exemple, Lol V. Stein et Michael Richardson : « Il l'aimait plus que tout au monde [1]. » Symétriquement, tragiquement, Michael Richardson et Anne-Marie Stretter : « Il l'aimait plus que tout au monde. [...] Plus encore [2]... » Et encore :

> – Quelle histoire... quel amour... On dit qu'il a tout quitté pour la suivre...
> – Tout. Il était fiancé. Tout. En une nuit [3]...

La voix amoureuse d'*India Song* fait écho à cet extrémisme du cœur et du corps :

JE VOUS AIME D'UN DÉSIR ABSOLU [4].

« *Désir entier, mortel* », était-il déjà dit dans *La femme du Gange* [5]. Les mêmes adjectifs qualifient, dans *India Song*, la chaleur :

QUELLE CHALEUR
ENTIÈRE MORTELLE [6]

– comme si la chaleur, cette chaleur superlative, étouffante de l'Inde, était le climat naturel, le seul équivalent physique possible de l'état d'extrême passion amoureuse ; comme si les deux hyperboles échangeaient ici leurs effets.

---

1. *La Femme du Gange, op. cit.*, p. 132.
2. *India Song, op. cit.*, p. 36.
3. *Ibid*, p. 65.
4. *Ibid*, p. 39.
5. *Op. cit.*, p. 182.
6. *Op. cit.*, p. 39.

« Quel amour c'était. Quel désir... Impossible [1]... » : en fait, nous l'avons pressenti plus haut, l'hyperbole, chez Marguerite Duras, est presque constamment négative. « Évidence de l'impossible [2] », « absolu désespoir [3] », « silence total [4] » : tout aboutit au rien. « Rien » : il n'y a pas de mot, dans les textes durassiens, qui revienne plus souvent, seul ou redoublé en échos *désespérants* :

A.-M. S. : Ce n'est ni pénible ni agréable de vivre aux Indes. Ni facile ni difficile. Ce n'est rien... vous voyez... rien [5]...

Elle dit :
— Ou ils rentrent — elle ajoute — ou ils dorment ou rien [6].

— Vous croyez qu'il y a quelque chose que nous pouvons faire pour moi tous les deux?
[...]
— Non, il n'y a rien. Vous n'avez besoin de rien [7].

Le roman *Le Vice-consul* s'achève d'ailleurs quasiment sur ce mot, « rien » :

— Rien d'autre, vous n'avez rien d'autre à me dire, monsieur?
— Rien, non, directeur.

1. *La Femme du Gange, op. cit.*, p. 127.
2. *Ibid,* p. 141.
3. *Ibid,* p. 161.
4. *Ibid,* p. 141.
5. *India Song, op. cit.*, p. 82; *cf. Le Vice-consul, op. cit.*, p. 109.
6. *L'Amour, op. cit.*, p. 27.
7. *Le Vice-consul, op. cit.*, p. 128.

Blême emblème du « gai désespoir [1] », le rien durassien nous conduit à cette particularité langagière du sublime, repérée par les rhétoriciens occidentaux depuis au moins Quintilien : hyperbole exceptée, l'absence de toute figure. « Sublime » est ainsi ce mot paradoxal par quoi la rhétorique dit son contraire – son « degré zéro ». Ce degré zéro est la *simplicité*. « Les sentiments sublimes sont *toujours rendus* par l'expression la plus simple », dit Domairon [2]. « Quoi de plus naturel [...] précise Fontanier, que la simplicité, quand il s'agit d'un objet tout à fait au-dessus de l'ordre commun ? [3] » Cette simplicité n'est pas simple à définir. Elle passe par une économie des signifiants (aux deux sens d'économie : organisation et épargne) qui redouble en quelque sorte l'économie spontanée du langage classique. Il me paraît possible de la ramener à deux aspects : la brièveté et l'abstraction.

La brièveté, d'abord. Tous les exemples de sublime proposés par les rhétoriciens frappent par leur côté fulgurant. Ce sont, tranchant sur de possibles perplexités, rompant un rythme plus ample, des réponses d'un mot – ou presque. Ainsi *Nicomède* de Corneille :

PRUSIAS

[qui ne sait s'il doit se conduire en père ou en mari]

Et que dois-je être ?

---

1. *Cf. Le Monde* du 16 juin 1977, « Marguerite Duras à propos du *Camion* : La voie du gai désespoir ».
2. *Rhétorique française* (Paris, 1804). Cité par Gérard Genette dans *Figures*, Paris, Le Seuil, 1966, p. 208.
3. *Manuel classique pour l'étude des tropes*, t. II, chap. III, A [Paris, 1821], dans *Les Figures du discours*, Paris, Flammarion, coll. « Science de l'homme », 1968, p. 176.

NICOMÈDE

Roi.

Ainsi (Corneille encore, dans *Médée*) :

NÉRINE

Dans un si grand revers, que vous reste-t-il ?

MÉDÉE

Moi

Moi, dis-je, et c'est assez.

Ces dissymétries frappantes sont légion dans le texte d'*India Song* :

VOIX 1

Il y a comme une odeur de fleur...?

VOIX 2

LA LÈPRE [1].

Voix 3 : Ces jonques ?
Voix 4 : Le riz. (*temps*)
Voix 3 : Sur les talus, ces taches sombres...
Voix 4 : Les gens.
. . . .
Voix 3 : Cette couleur verte... elle grandit...
Voix 4 : L'océan [2].

Dans le sublime des rhétoriciens, si une proposition doit être articulée, elle l'est élémentairement, non par la substi-

---

1. *India Song, op. cit.*, p. 19.
2. *India Song* (découpage), in *Marguerite Duras, op. cit.*, pp. 64-65.

tution d'un pronom au nom, mais par le redoublement pur et simple de celui-ci : « *Fiat lux et lux fuit.* » On retrouve de ces juxtapositions chez Marguerite Duras, le dépouillement se renforçant de l'ellipse des pronoms et la répétition prenant presque une allure enfantine (et grave), comme si une zone plus archaïque de langage était atteinte :

VOIX 1

Qu'est-ce qu'on entend ?

VOIX 2 (temps)

Elle qui pleure.

Temps.

VOIX 1

Ne souffre pas n'est-ce pas... ?

VOIX 2

Non plus.
Une lèpre, du cœur.

Silence.

VOIX 1

Ne supporte pas... ?

VOIX 2

Non.
Ne supporte pas.
Les Indes, ne supporte pas [1].

---

1. *India Song, op. cit.,* p. 34.

On le voit : vocabulaire volontairement réduit, syntaxe élémentaire, langage qui procède par contrastes, qui est comme la foudre. Par là l'essentiel s'approche – l'abstrait.

La tendance à l'abstraction est, comme on sait, une caractéristique de l'écriture classique, par quoi celle-ci vise moins le particulier que le général, les accidents que la substance – préfère, en conséquence, les substantifs et les verbes aux adjectifs (et, parmi ceux-ci, les moins concrets, les moins singuliers aux autres). Il y a des échos de cette parole-là chez Marguerite Duras. N'est-ce pas encore Mme de Lafayette qu'on croit entendre lorsqu'une voix d'*India Song* dit par exemple : « Il avait été convenu entre les amants du Gange qu'ils devaient se laisser libres d'agir si, un jour, l'un ou l'autre jugeait bon de... (*Arrêt*.) / *Silence*[1]. » « Les amants du Gange », comme il est dit « l'homme de Lahore » ou « l'homme de T. Beach » ou « le Voyageur » ou « la femme » ou « la Blanche » ou même « Voix 1[2] » : on remarquera en passant, pour revenir une seconde sur la manière durassienne de nommer (ou plutôt de ne pas nommer[3], ou de nommer à demi), combien cet usage de la périphrase ou de l'épithète nous éloigne du roman réaliste et nous rapproche de la légende ou du mythe. Façon peut-être, que ce demi-anonymat supérieur, de nous rappeler à une certaine désincarnation, voire à une certaine universalité – à cette « noblesse de la

---

1. *India Song, op. cit.*, p. 143.
2. « L'homme de T. Beach », dans *Le Ravissement de Lol V. Stein, op. cit.*, p. 56 ; « la femme » : dans *L'Amour* (Gallimard, 1971), *passim* ; « la blanche » : dans *India Song*, p. 114 ou 117, etc.
3. *Cf.* la distribution d'*India Song* (le texte, *op. cit.*, p. 7) : à la suite de « LE JEUNE ATTACHÉ D'AMBASSADE », de « L'INVITÉ DES STRETTER », de « LE VICE-CONSUL DE FRANCE À LAHORE » figure la mention « (*non nommé*) ».

banalité » dont parle *Le Camion*. Où l'on retrouve l'abstraction. Abstraction aussi, recherche d'une sorte de quintessence dans cette déclaration d'une voix de *La Femme du Gange* :

> De n'importe quel passé...
> De n'importe quel amour... je me souviens [1]...

Comment traduire hors du langage proprement dit ce mouvement platonicien de séparation, de filtrage du concret ? Marguerite Duras auteur de théâtre et cinéaste l'a compris : en bannissant un certain nombre d'*effets de réel* (comme dirait Barthes), fussent-ils réputés les plus essentiels au cinéma.

Les *effets de réel* – le mimétisme, le naturalisme – dont Marguerite Duras commence par se passer, après tout à la façon du théâtre élisabéthain ou d'Edward Gordon Craig, affectent le décor et les acteurs. « Du décor » on a tout dit : ce n'est pas aux Indes, c'est en Ile-de-France qu'ont été tournées ces soirées indiennes écrasées de chaleur. Et deux lieux différents prêtent leur apparence : l'un pour l'extérieur, les façades (qu'on retrouve dans *Son nom de Venise*), l'autre pour ses salons, ses miroirs [2]. Même non-réalisme avec les acteurs. Dans *La Femme du Gange,* ils sont comme des formes vides, prêts à incarner des personnages différents (par exemple, la même actrice, Catherine Sellers, incarnera la Femme en noir et l'Épouse du Voyageur ; Nicole Hiss sera à la fois Lol V. Stein et la Voix 1).

---

1. Voix 1 (*op. cit.*, p. 157).
2. Ce sont respectivement le palais Rothschild et l'hôtel Pommereux à Paris.

Expédient de cinéma pauvre, manière de faire de nécessité vertu ? Bien plus que cela. Car cette *circulation* des rôles dans les mêmes corps, cet arbitraire des incarnations se retrouvent dans la diégèse : certains personnages eux-mêmes sont comme des réceptacles provisoires. Ce qui compte, qui est provisoirement recueilli puis s'écoule, c'est « un événement d'ordre général » – comme dit le Voyageur [1] –, ou bien c'est « de la douleur [2] ». Lol V. Stein et le Vice-consul eux-mêmes, on l'a vu, échangent en partie le même fantasme. Seule, peut-être, l'objet commun de leur passion, Anne-Marie Stretter, échappe complètement à ce communisme des affects et constitue un personnage irréductible. Un certain brechtisme n'en subsiste pas moins pour elle : ce personnage ne sera pas tout à fait *incarné*; il sera seulement *interprété*. C'est le sens de la longue station de Delphine Seyrig devant la photo d'Anne-Marie Stretter au début d'*India Song* – sorte d'authentification et d'hommage au référent –, comme si, aussi, l'actrice cherchait dans cette contemplation une inspiration pour jouer, pour « être » tout de même un peu ce personnage qui *a été*, irremplaçablement, et auquel elle ne pourra jamais se substituer tout à fait.

L'allusion à Brecht suggère que de tels effets de distanciation ne sont pas proprement cinématographiques. *India Song* on l'a vu, devait d'ailleurs être une pièce, et certains effets pourraient se retrouver tels quels au théâtre. Preuve le plan où Delphine/Stretter et ses quatre cheva-

---

1. *La Femme du Gange, op. cit.*, p. 166.
2. « La douleur du Voyageur s'est répandue. La douleur de la Dame, la douleur des enfants, de même. De la douleur s'est répandue dans S. Thala. » (*La Femme du Gange, op. cit.*, pp. 171-172.)

liers servants sont assis face à la caméra dans l'obscurité, puis éclairés (ce que la diégèse peut à la rigueur justifier, car c'est la fin de la nuit, et l'aube point) – puis de nouveau dans l'obscurité, dans la lumière, etc. – et où l'artifice théâtral (les feux de la rampe) se désigne ainsi lui-même. Cependant, l'effet de réel le plus important qui soit banni d'*India Song* est, au contraire, purement cinématographique [1]. C'est la synchronisation de l'image et du son, que le film subvertit admirablement avec ses déjà légendaires voix *off*. La « présence » sur la bande sonore de voix ne correspondant à aucune apparence visuelle – de voix sans visage – s'observait déjà dans *La Femme du Gange*. Mais, comme une habitude qui ne se laisse pas extirper du premier coup, le tabou presque demi-séculaire du synchronisme audio-visuel y était préservé par endroits et ces endroits constituaient autant de faiblesses, tant les effets de réel que le cinéma offre spontanément sont fatals au symbolique, au théâtral ou, comme ici, au pathétique et au sublime. Les paroles épurées qu'échangent le Voyageur et la Femme, personnages quasi abstraits, pris dans des attitudes rigides, au bord d'une plage trop réelle, sont aussi *déplacées* qu'un danseur en collant dans un paysage naturel. Seuls le choix d'un décor *déjà* théâtral, *déjà* symbolique, ou bien des effets de cadrage et de montage qui le rendent tel, qui l'*artificialisent*, préservent les films de ce hiatus où risque toujours de s'engouffrer le comique. De même, le film narratif classique évite les paroles *in*, ou les remplace par le contrepoint d'une voix *off* ou de

---

1. Même s'il n'est pas inconcevable au théâtre. Mais on appréciera aisément toute la distance qui sépare les *play backs* théâtraux du *Romeo et Giulietta* de Carmelo Bene, des voix *off* d'*India Song*.

la musique, dans les moments qu'il veut pathétiques ou simplement graves.

Le coup de génie d'*India Song*, c'est, poussant cette tendance à sa limite, d'avoir fait passer toutes les voix en *off* – celles qui n'appartiennent à personne d'apparent (les Voix 1, 2, 3 et 4), mais aussi bien celles des protagonistes visibles. Les acteurs ne miment pas la parole : tout au plus miment-ils des impressions (plaisir, sensualité, etc.) sans ouvrir la bouche. Ce procédé, quelquefois employé dans le cinéma hollywoodien pour les *monologues intérieurs*, est ici systématique *et dans les dialogues mêmes* (ainsi celui de Delphine/Stretter et du Jeune Attaché). En brisant le lien qui enchaînait les voix à l'image, en supprimant même toute apparence de phonation, le film retrouve une heureuse convention du cinéma muet. Ces lèvres closes sont comme les yeux blancs des statues antiques : l'effet des simplifications supérieures de l'art. Mais surtout, c'est comme si tout le film devenait monologue intérieur, *passait à l'intérieur*.

Du coup, une autre fatalité du cinéma s'évanouit : ce qu'on pourrait appeler *l'effet de présent*. En effet, on l'a souvent dit [1], le cinéma est si spontanément au présent qu'il doit multiplier les artifices pour signifier le passé – des grossiers indices du cinéma classique (brusque filé, lourd fondu-enchaîné, flou, intertitre, calendrier qui s'effeuille à rebours, etc.) jusqu'à, plus subtile, la neige chargée dans *La Symphonie pastorale* de Delannoy, si l'on

---

1. Par exemple Albert Laffay, dans *Logique du cinéma*, Paris, Masson et Cie, 1964, pp. 18-21.

suit l'analyse de Bazin [1], de donner l'équivalent plastique des passés simples gidiens. Le son *off* est la neige de Marguerite Duras. Il donne au film la réverbération du passé, comme si la distance du son par rapport aux images creusait une autre distance, plus fondamentale, avec le présent de la projection. Ce qui se passe devant nous *a déjà eu lieu*. Dans *Son nom de Venise*, la nature même du visible – ruines, salons déserts, traces – *dit* cette antériorité, cet enfouissement dans le souvenir; et c'est comme si ces voix invisiblement surgies de lieux morts étaient, par la grâce de quelque « invention de Morel », les vestiges cycliquement réapparaissants d'un terrible passé englouti. Réminiscences et éternel retour, presque : « Quelquefois [...], je me souviens de choses que je n'ai pas connues », dit une des Voix de *La Femme du Gange* [2].

Mais dans *India Song* aussi, l'image contribue à suggérer elle-même sa fragilité de souvenir ou de reconstitution lacunaire. Le talent proprement cinématographique de Marguerite Duras éclate ici dans le parti qu'elle tire des grandes glaces de l'hôtel Pommereux : les protagonistes d'*India Song* ne nous apparaissent presque jamais directement, mais dans des miroirs, à l'état incertain et médiatisé de reflets. La première fois qu'on voit Anne-Marie Stretter/Seyrig, c'est ainsi : dans la glace, regardée par un homme. « C'est curieux, parfois je vous reconnais mal [3] »; « Personne ne sait très bien ce qui se passe derrière ces murs, ce qu'elle fait [4] »; « La voix 3 ne sait

1. « Pour un cinéma impur », in *Qu'est-ce que le cinéma?*, Paris, éd. du Cerf, 1959, t. II, p. 23.
2. *Op. cit.*, p. 128.
3. *Ibid.*
4. *Ibid.*, p. 127.

presque plus rien de la chronologie des faits de l'histoire[1] » ; « Ils ont perdu la mémoire ? – Oui[2] » : sans atteindre au dépouillement glacé de *Son nom de Venise*, l'image d'*India Song* propose un contrepoint à ces hésitations, à ces interrogations sans réponse, à ces oublis dont les Voix se font régulièrement l'écho, aux antipodes, ne serait-ce que par leur pluralité, du narrateur unique et omniscient du récit traditionnel.

Ces grandes glaces qui nous séparent de l'original constituent ainsi des espaces à la fois clos et sans vraie frontière – comme cet hôtel de *La Femme du Gange* dont les murs laissent passer les regards de la Femme et du Fou[3]. Vides et pourtant emplis de reflets et de voix, « cages closes[4] » et cependant, « chambres d'écho[5] », ils sont en quelque sorte les équivalents des blancs typographiques prenant un mot essentiel dans le gel neigeux du papier, les lieux privilégiés de l'abstraction, le décor obligé du sublime.

Sublime : moment où le tragique se purifie, se transmue même, change de nature, retourne sa foudre contre lui-même et en fait du feu, du silence, du vide – *rien*.

Mais *India Song* n'est pas le lieu du rien. *India Song* n'est pas arrêté au sublime, n'est pas entièrement dans l'intelligible. *India Song* reste dans le sensible, admirablement. Preuve sans doute cette fascination, cette passion

---

1. *India Song, op. cit.*, p. 105.
2. *Ibid.*, p. 110.
3. *Op. cit.*, p. 116.
4. *Ibid.*, p. 124.
5. Selon les termes mêmes de Marguerite Duras, que rapporte Benoît Jacquot dans *Marguerite Duras, op. cit.*, p. 126.

qui ramena tant de spectateurs chaque jour dans la petite salle parisienne où il passait. *Son nom de Venise*, avec son étincelante sobriété, avec ses lents mouvements de caméra sur le détail d'un mur lézardé ou d'un sol moussu, qui font parfois penser à *La Région centrale* de Michael Snow, ne l'a pas fait oublier. Ce qui, du palimpseste que forment ces deux films, a été gratté et recouvert ne se fait pas oublier. *India Song* est indélébile. Il y a un plaisir irréductible à *voir* la soirée à l'ambassade de France, et les vêtements, les bijoux d'Anne-Marie Stretter, et Delphine/Stretter dansant avec le Jeune Attaché – comme il y a un plaisir à voir tout de même, par les mots de *La Princesse de Clèves*, le corps de Mme de Clèves et du duc de Nemours et leurs bals chamarrés. Delphine Seyrig n'est pas Anne-Marie Stretter, mais elle est ineffaçable. Son visage suréclairé dans tel très beau plan surexposé dont la blancheur n'est troublée que d'un rien de roux, de vert et de grenat ne se fait pas oublier. Les smokings blancs des invités sont ineffaçables. Ineffaçables ces lenteurs, le faste moite d'une fête coloniale, d'une fin d'époque. Cette déliquescence qui se retient. Or cela passe par *ces* plans-là, ce cadrage, cette durée – par exemple ce long plan fixe en durée réelle du couloir de l'hôtel des Iles, au cours duquel on voit arriver, marcher lentement vers nous, puis sortir du champ Anne-Marie Stretter et ses quatre chevaliers servants – puis rien – puis arriver, marcher, sortir du champ le Vice-consul. Un cinéaste classique eût coupé, eût fait deux plans au moins. Marguerite Duras ne le fait pas. Hommage à elle, hommage encore à son travail cinématographique, qu'on a trop souvent oublié : la mise en scène – ou plutôt la mise en reflets – des acteurs n'était pas une mince affaire. La séquence de la rencontre du Vice-consul et d'Anne-Marie Stretter, entre autres, obéit à une stratégie des mouvements et des regards dont on trouvera peu d'exemples dans l'histoire du cinéma. D'autre part, entre la bande sonore, dont on serait un peu vite tenté de souligner l'autonomie, et les images, de multiples effets de synchronisme sont à repérer : dans *India Song*, certes [1], mais aussi, plus subtilement, dans *Son nom de Venise* : « Où est-on ? » demande par exemple une Voix – et nous sommes dans un plan fixe d'une pièce obscure, perdus.

Marguerite Duras sait en somme fort bien jouer des *effet de sens*; elle sait qu'un rien peut les provoquer, aussi sûrement que le moindre frémissement de la terre se marque d'énormes écarts sur les sismographes. Elle sait notamment jouer de cet effet d'entraînement, d'*écoulement* qui fait le sens circuler – quelque obstacle qu'on y mette –, qui fait oublier l'absence de tel ou tel effet de réel, ou telle petite « erreur » de raccord [2], et les *prend*, au contraire, les gomme, les *cicatrise* par la force suturante du montage, l'envoûtante répétition des *leitmotive* musicaux, la crédibilité de la diégèse et sa fascination sur nous. Elle prouve du même coup qu'un cinéma pauvre peut être

---

1. Par exemple au moment où l'on aperçoit pour la première fois le Vice-consul – immobile au bord d'un étang où il se reflète – le dialogue des Voix en est à : « VOIX 1 : Le Vice-consul de France à Lahore. / VOIX 2 : Oui. / [...] en disgrâce à Calcutta... » Plus tard, quand une des voix révèle : « Il tirait sur lui-même », un plan de glaces vides et de reflets vient de commencer.

2. La première fois que le Vice-consul crie, il est hors champ, loin. Le plan suivant, où sa voix semble toujours venir de loin, devrait nous le montrer en plan éloigné. Or on le voit, déambulant seul, de dos, en plan moyen. Cette notion d'« erreur » est, au demeurant, parfaitement relative.

plus riche de sens, plus dense, plus prenant, plus fastueux, plus efficace que le cinéma dominant. Elle prouve qu'on peut faire un crépuscule de Bombay avec un soleil qui se couche sur l'Ile-de-France [1].

Et ce miracle est un apologue. Le grand cinéma, comme la grande littérature, est alchimie, grande alchimie des signifiants. La métamorphose est aidée ici par la présence de la durée réelle, qui est la reconquête de notre modernité sur les mauvaises habitudes du cinéma narratif. Durée réelle : et ainsi tout dure *en nous*, comme nous, c'est nous qui nous souvenons, qui avons la charge du fantasme et le faisons être. Et le fantasme a lieu, trop près encore de nous pour avoir la paisible évidence du mythe, trop loin déjà pour ne pas empreindre notre fascination d'une poignante nostalgie.

---

1. Quelqu'un, m'a-t-elle raconté, lui a envoyé après la sortie du film une carte postale de Bombay représentant un coucher de soleil : et c'étaient les couleurs mêmes du film!

CHAPITRE III

UN CINÉMA DE L'APPEL

Après le cycle d'*India Song* et *Le Camion*, les œuvres cinématographiques de Marguerite Duras se sont pour ainsi dire engendrées l'une l'autre. *Cesarea* et *Les Mains négatives* ont été faites avec les chutes du *Navire Night*. Ces deux courts métrages ont « suggéré » alors l'existence d'un troisième, peut-être parce que « jamais deux sans trois », peut-être pour faire l'équivalent en durée d'un long métrage, pour d'autres raisons sans doute aussi. Ainsi est née *Aurélia Steiner*, pour laquelle de nouveaux plans ont été tournés dans Paris. Puis, la pression du texte prenant cette fois le relais de la pression de l'image, cette première *Aurélia Steiner* (Melbourne) en a imposé deux autres : *Aurélia Steiner* (Vancouver) et *Aurélia Steiner* (Paris), dont seule celle de Vancouver a été tournée.

Mais il y a entre ces films une unité plus profonde. *L'Été 80* nous en donne la clef. *Les Yeux verts* aussi, çà et là. Il faudrait relire, revoir toute l'œuvre de Duras à cette lumière-là, à la lumière de cette situation : une jeune fille – ou, plus imprécisément, une personne – appelle, par la voix ou l'écriture. C'est un appel d'amour immense. Elle ne connaît pas qui elle appelle : amant ? père ? Dieu ? Elle est assise devant la mer ou le ciel et des images passent.

Qu'en dire ? Ceci au moins.

1. – *Sur* Le Navire Night *(1978)*

Le titre : l'idée de « dérive » ne suffit pas à en expliquer le caractère fascinant. Il est franco-anglais par des raisons d'euphonie, peut-être parce que « night » relève d'un peu d'étrangeté linguistique et d'un coup de fouet dental ce que « Le Navire Nuit » eût eu de trop éteint. « Le Navire Night », pour ceux qui n'aiment pas seulement la nuit comme un mystère stable, mais comme une errance immense, est une morale en lui-même, une idée de la vie. Cent fantasmes s'y arriment et *voguent.*

L'« histoire » : cette histoire prodigieuse de passion *par téléphone* est donnée pour authentique, « extérieure » à l'auteur. Elle l'est. Et en même temps il n'en est pas de plus durassienne. Plus encore que le Vice-consul, l'homme et la femme du *Navire Night* vivent la limite de la passion : une passion sans corps, *de voix à voix.* « Folie », le mot est prononcé (comme dans *La Femme du Gange, India Song, Le Camion*). « Anonymat » aussi, comme dans *Le Camion* : ici, le « gouffre » du téléphone – ces milliers de voix sans visage, la nuit. « Ces cris partout, ce même manque d'aimer. »

Images : Marguerite Duras fait cette histoire sienne par l'écriture (sèche, nette) et par sa voix. Elle *reprend* la parole, comme dans *Le Camion.* Traverse le cinéma pour rétablir magnifiquement les privilèges (l'impatience) de l'écrivain [1]. Mais cette traversée est irréductible. Jouissance visuelle, lents travellings. On trouve dans ce film d'aveugles, dans cette « histoire d'amour sans images », quelques-unes des plus belles images de tout le cinéma contemporain. Duras suggère qu'elle a filmé l'impossibilité de filmer cette histoire – son envers : « On a mis la caméra à l'envers et on a filmé ce qui entrait dedans, de la nuit, de l'air, des projecteurs, des routes, des visages aussi. » Entre l'image et les voix, donc, *l'arbitraire* (comme on parle de « l'arbitraire » du signe) ? Non. Quelquefois, l'image est éloignée du *feu* de ce qui est dit ; elle est une fraîcheur (Paris entre chien et loup). Quelquefois, elle montre presque ce qui est dit : les villas de Neuilly, le Père-Lachaise. Quelquefois, il n'y a pour accompagner les voix qu'une ouverture du diaphragme sur une tunique pailletée ou un visage qu'on maquille, et le lien est de tension à tension. Mais toujours il y a un rapport.

L'« histoire » (bis) : par rapport au texte publié dans la revue *Minuit* (en mai 1978), quelques ajouts rattachent encore plus profondément cette histoire aux grands thèmes durassiens. Ainsi F., dans son lit, la fenêtre ouverte, visible de la rue, *exhibée*. Lol V. Stein à l'envers.

Yeux clos : ajoutées aussi, deux allusions à une statue d'Athéna aux yeux intacts dans un visage arraché – « des amandes blanches sans relief aucun ». Sur l'image, parfois, les acteurs ferment les yeux, longuement. *Le Navire Night* est un film sur les yeux blancs, les yeux clos. En ce sens, c'est un film paradoxal. Un film sur le non-voir. Les yeux qui ne voient pas. Et aussi : les yeux clos qui *voient*.

---

1. Voir plus loin, pp. 86-87.

Son : il y a les voix alternées de Marguerite Duras et de Benoît Jacquot. Et puis le bruit feutré du peigne dans les cheveux de Dominique Sanda. Et aussi : quelqu'un qui joue du piano dans une pièce voisine.

Politique : à un moment, il y a une phrase sur la « racaille de Neuilly », les « lignées crapuleuses de financiers véreux ». Le mot « poubelle » est prononcé deux fois. Violence politique de ce passage, par contraste : en deux secondes, fait plus que vingt films « politiques ».

Orphée : il est suggéré vers la fin que l'homme de l'histoire, un jour, sait que la femme est derrière lui – *elle* qu'il n'a jamais vue – et il ne se retourne pas. Une « histoire nouvelle » aurait pu commencer. Il la refuse. Il reste dans celle du « gouffre », générale. Orphée resté aux Enfers, ombre parmi les ombres.

2. – *Sur* Cesarea, Les Mains négatives, Aurélia Steiner (Melbourne) *et* Aurélia Steiner (Vancouver) *(1979)*

Tout s'est cristallisé avec les voix. Dès *La Femme du Gange*, mais surtout, souverainement, dans *India Song* et *Son nom de Venise*, Duras a découvert l'importance capitale et les velléités d'autonomie de la bande sonore des films. Tout le récit, et jusqu'aux répliques des personnages, finit par être confié à des voix sans visage, hors champ : voici le cinéma rééquilibré, arraché (un peu) aux « metteurs en scène » et aux acteurs et redonné à l'écriture – à la voix même – de l'écrivain. Cette reconquête n'a pas cessé : dans *Le Camion*, dans *Le Navire Night*, dans ces quatre courts métrages, le cinéma est d'abord la voix même de Duras qui parle d'un film imaginaire (*Le Camion*), qui raconte une histoire d'amour *aveugle* (*Le Navire Night*), qui invoque la répudiée de Césarée, Bérénice la non-nommée (*Cesarea*), qui se prête enfin au cri millénaire du désir (dans *Les Mains négatives*) et à l'appel amoureux d'une petite Juive de Melbourne ou de Vancouver (les *Aurélia Steiner*)

L'image ne compte donc plus ? Au contraire. Peu de cinéastes ont tiré autant des grands opérateurs du cinéma français (ici Pierre Lhomme, magistral). Simplement, Marguerite Duras invente des rapports nouveaux entre l'image et le son. Les textes sont écrits, les images tournées ou choisies ensuite en *sympathie* avec le texte : écriture sympathique, oui – c'est-à-dire que le texte et l'image se *révèlent* mutuellement ; c'est-à-dire aussi que la synchronisation n'est plus littérale, comme dans quatre-vingt-dix-neuf pour cent des films, mais de ton à ton, de mouvement à mouvement, d'intensité à intensité. Ce que *Cesarea*, *Les Mains négatives* et les *Aurélia Steiner* imposent, c'est un cinéma des correspondances ; baudelairien peut-être, mais surréaliste assurément, au sens fort que Breton cherchait. C'est (mais avec gravité, avec pathétique) le jeu de « l'un dans l'autre » – l'idée, dit Breton, que « n'importe quel *objet* [mais encore toute *action*, et aussi tout *personnage*] est [...] contenu dans n'importe quel autre ». Déjà, dans *India Song*, on l'a vu, Marguerite Duras filmait un crépuscule indien en Ile-de-France et Calcutta dans la banlieue de Paris. Voici qu'elle filme les ruines de Césarée sur la place de la Concorde et qu'elle transforme dans *Aurélia Steiner* (*Melbourne*) la Seine en fleuve australien et une péniche de charbon en premier regard d'amour. Amour : car plus qu'à Baudelaire ou Breton, ces appels sans destinataire, ces cris à travers les siècles et les espaces adressés à *n'importe qui* rattachent ces quatre films à la conception durassienne de l'amour.

Résultat, pour mémoire : *Cesarea* est bleu, blanc, noir. Tient droit, immobile. Avec des ponctuations de noir entre les plans. Plans fixes, et quelques travellings : la femme couchée de Maillol, aux Tuileries (les deux jambes horizontales et séparées, parallèles), est longée, prise dans le trajet d'un travelling et dans le lait de la lumière d'été. *Les Mains négatives* : les glissements dans Paris, la nuit – puis l'aube vient. Sur les Champs-Élysées du petit matin, ironie du hasard, un camion bleu. Paris est une grotte qui s'éclaire et la voix de Duras nous appelle d'il y a trente mille ans, du fond du gouffre ; elle est devenue la voix du premier homme qui a laissé sur les parois paléolithiques des traces de main, qui a *appelé* – mais la voix aussi des balayeurs sénégalais du petit matin –, et elle appelle on ne sait qui, voix du désir errant, cri d'amour sans identité. *Aurélia Steiner* (*Melbourne*) : glissement liquide, central. Tout vu du ras de la Seine, de l'utérus de Paris. Et les ponts, un à un, filmés d'en dessous – la dentelle du pont de Bercy mariée au chuintement de l'eau ; un pont-blockhaus, étouffant ; les mouvements souverains de la caméra happée par la silhouette de promeneurs accoudés à la balustrade, allant au ciel, replongeant à l'eau. La voix lit une lettre – on ne sait à qui, on ne saura de qui qu'à la fin (« Je m'appelle Aurélia Steiner, [...] j'ai dit-huit ans, j'écris. »). Une lettre d'amour. Et il y a mille choses confondantes : la « blancheur blanche » du chat qui crie – le cri de tous les torturés de la terre – ; la péniche noire déjà évoquée, grondant d'un long bruit de guerre – l'arroi de la passion – ; l'évocation de Paris, ville où l'on tue depuis des siècles (et à ce moment, le fleuve saigne, vraiment – comme à la fin de la Commune, peut-être, comme certain soir de la guerre d'Algérie, en octobre 1961) ; l'apparition éblouissante de Notre-Dame, rosace jaune pâle sur ciel bleu délavé, flottant sur le noir-vert des arbres, comme surgie d'une forêt tropicale : Notre-Dame de Péguy revue par le Douanier Rousseau et Max Ernst. *Aurélia Steiner* (*Vancouver*), enfin : en noir et blanc, celui-là, avec des images de mer, de rochers lourds et noirs, de rondins empilés, de ciels, de hangars déserts – le plus souvent en plans fixes, bordés de fondus au noir. Et là-dessus, *autour* de cela, dans l'épaisseur de cela, la voix de Marguerite Duras portant un texte plus grave que le précédent, plus difficile d'écoute, aussi : car l'image, discontinue, n'aide pas à en souder les fragments, les *mouvements* – mais, justement, c'est comme une musique sourde, du Ravel, avec des thèmes de plus en plus lumineux, brûlants, terribles, qui montent des profondeurs et s'imposent à la vue intérieure : le rectangle blanc du camp de la mort, la naissance d'Aurélia dans ce camp, l'agonie du pendu – le prisonnier qui a volé de la soupe pour elle (son père ?) –, la colère de la mer qui ravage la ville (la colère du monde contre l'horreur des camps) et elle, Aurélia, plus tard, très belle, se donnant à son père, car tout homme qui la prend est son père perdu et retrouvé, ce père à qui elle écrit depuis toujours, depuis partout.

CHAPITRE IV

HUMOUR DE DURAS?

Les Enfants est un beau titre simple comme les aime Duras. Et qui indique une évolution. Car, au commencement était le singulier – d'un personnage (Ernesto) et d'un auteur (elle). Et en 1985, voici le pluriel : « les » enfants – Ernesto et sa sœur. Et trois auteurs : Marguerite Duras, Jean Mascolo et Jean-Marc Turine. Qu'est-il advenu entre le commencement et 1985 ? La reprise d'un texte. Duras en est coutumière (voir, par exemple, *La Musica*, devenue *Musica, Musica* ou *La Musica deuxième* en 1985). Art des restes ? Perfectionnisme ? Cela se voit chez les plus grands (première et deuxième *Éducation sentimentale* de Flaubert, *Leaves of Grass* de Whitman, etc.).

Le texte était un petit texte de commande, un conte pour enfants, *Ah! Ernesto*, publié en 1971 [1], aujourd'hui introuvable. Jean-Marie Straub et Danièle Huillet l'adaptèrent en 1982 : ce fut *En rachâchant*, court métrage en noir et blanc, drôle et réussi, preuve que Duras est faste à Straub (à qui elle avait déjà été bonne par un article sur

---

1. À Paris, chez François Ruy-Vidal et Harlin Quist.

Othon, en l'an 1970). Puis Duras donne *Ah! Ernesto* à son fils Jean Mascolo et à Jean-Marc Turine. L'un comme l'autre sont liés au cinéma en général et à son œuvre en particulier. Jean Mascolo a été photographe de plateau dans presque tous les tournages de sa mère; avec Jérôme Beaujour, il a réalisé *Duras filme*, vidéo sur le tournage d'*Agatha*, et les entretiens vidéographiés édités en 1984 par le ministère des Relations extérieures. Jean-Marc Turine, poète, acteur, a été son assistant pour *Jaune le soleil* et est lui-même cinéaste, le très doué, très prometteur auteur de *Plages sans suite* (avec Pierre Clémenti). Mascolo et Turine adaptent *Ah! Ernesto*, en sont à la septième version du scénario, quand un producteur lâche. Duras décide alors de s'y mettre. Elle offre l'argent que le ministère de la Culture lui avait donné pour tourner et elle coréalise. Et elle ajoute au texte. Le film achevé est ainsi à l'image du personnage, cet Ernesto monté en graine, retardé-surdoué. C'est un conte d'après mai 1968 nourri de thèmes durassiens plus récents.

Ce qui est de 1971 : un certain esprit soixante-huitard contre l'école, peut-être, qui se retrouvera un peu dans *Nathalie Granger*. Ce qui est d'après, en tout cas qui s'éclaire mieux aujourd'hui : l'apparition du personnage de la sœur et la complicité profonde entre les deux enfants, bref, via *Agatha* ou *L'Amant*, le rattachement à l'autobiographie. Ce qui est de 1971 et de 1984 : un certain ton. Sérieux du narcissisme, tragique de l'amour ou de la douleur : on croit généralement Duras aux antipodes de l'humour. Il y a pourtant un humour durassien : vachard, parfois (le passage du saumon, à la fin de *Moderato cantabile*), mais, plus souvent, proche du « nonsense ». C'est Jeanne Moreau répondant au téléphone, dans *Nathalie Granger* : « Vous faites erreur, Madame, il n'y a pas le téléphone ici. » Ce sont, dans *Les Enfants*, ces tranquilles énormités qui rangent Ernesto, plus encore qu'auprès du Petit Prince ou de Zazie, ou même des personnages de Lewis Carroll, du côté de Jean Tardieu ou de l'oncle Jean-Luc Godard (qui ressemble, avez-vous remarqué ? de plus en plus à Groucho Marx). Dans tel plan où il semble perdu dans la nature, le voilà même presque frère de Rousseau ou des romantiques ou de Nietzsche (quoiqu'il préfère Hegel) – mais sans vocation au martyre. Paisible dans son entêtement, anarchiste doux. Parent de la femme du *Camion*, s'il faut lui donner une famille spirituelle. Pour ce qui est de sa famille « réelle », pas de heurts, là non plus. Ses parents (Daniel Gélin extraordinaire en faux hébété, plus madré qu'on croit, et Tatiana Moukhine, si belle en éplucheuse de pommes de terre) sont plutôt de son côté, avec une espèce de sagesse paysanne, robuste, inentamable, face aux « autorités » – l'instituteur (André Dussolier) et le journaliste (Pierre Arditi).

C'est le moment de dire un mot des acteurs : remarquables, tous autant qu'ils sont, à commencer par Axel Bougousslavski, l'air mi-demeuré, mi-Jésus au milieu des Docteurs. Et voilà le paradoxe : peu à peu éliminés des derniers films de Duras, les acteurs font ici un retour étonnant. C'était d'emblée le vœu de Mascolo et Turine, mais l'exceptionnelle directrice d'acteurs qu'est devenue Duras au théâtre (voir le film de Michelle Porte sur les répétitions de *Savannah Bay*) les y a évidemment aidés. D'où une œuvre atypique, apparemment en retrait sur les audaces ascétiques de ses précédents films, plus proche de *Nathalie Granger* que de *Son nom de Venise*, mais faisant mieux ressortir – dans la permanence de la lumière de Bruno Nuytten – l'autre dimension de l'univers durassien : le sublime de la passion, mais aussi les cocasseries de l'enfance et le charme des pommes de terre sautées ; le tragique et la douleur, mais aussi le fou rire. « Le monde est loupé, M. Ernesto ! » C'était « pas la peine ». Pas la peine d'espérer. Mais pas la peine de pleurer non plus. Désespoir ? On se souvient du « *Camion* » : gai désespoir.

CHAPITRE V

INGENIUM ET *INGENUITAS*

Les grands styles ne sont pas si nombreux. Dans la prose française du XXᵉ siècle : Alain, Proust, Gide, Giraudoux, deux ou trois autres. Un grand style est cette façon d'abord inimitable (avant d'être très imitée) qu'un créateur a d'agencer les matériaux de sa création. Trois mots, deux virgules, on le reconnaît. Ou trois cadrages, deux travellings. Car c'est la même chose au cinéma : Méliès, Eisenstein, Ophuls, Fellini se reconnaissent tout de suite. L'originalité de Duras – elle ne la partage qu'avec Cocteau – est d'avoir, est d'être, un grand style en littérature *et* au cinéma.

À quoi reconnaît-on Duras au cinéma ? Ou, pour le dire autrement, qu'a-t-elle apporté d'inimitable à notre modernité cinématographique, au point d'incarner un moment de cette modernité ? Un monde, son monde, certes, dont la météorologie mentale connaît les extrêmes de l'amour fou, le gai désespoir ou les intermittences de la mémoire, et dont la géographie va de l'Indochine à la Côte normande en passant par Auschwitz. Mais ce monde est déjà dans ses livres. Surtout donc une certaine esthétique du dépouillement et du sublime, faite de longs plans fixes et de lents travellings, d'une large autonomie de la bande image et de la bande son, où la musique et la voix ont un rôle incantatoire, bref une esthétique de la litote généralisée : rien n'est jamais tout à fait joué, tout à fait donné de façon réaliste, le spectateur doit achever et lire le film, en relier les éléments séparés.

On parlera de talent, de génie (en latin : *ingenium*). Il faudrait plutôt – ou autant – parler d'*ingenuitas*. Si le mot a donné « ingénuité », il désigne d'abord la noblesse de sentiments et la condition d'homme libre (ou déjà, chez Plaute, de femme libre). Car seul celui, seule celle qui débarque dans le cinéma avec la naïveté la plus grande et l'utopie la plus grande aussi – et avec l'inflexibilité que donne une absolue liberté – peut, comme fit Duras, engager des jeunes gens encore inconnus (Bruno Nuytten, Carlos d'Alessio, Gérard Depardieu), s'abstraire des données techniques apparemment inéluctables, imposer aux acteurs un nouveau jeu et les plus grands sacrifices (se taire, par exemple), tâtonner, tirer parti d'« erreurs », s'extasier enfin, avec un émerveillement modeste qu'on a pris pour de la vanité, devant les images obtenues. Oui, seul celui-ci, seule celle-là peut, comme elle, avec pour tout viatique une vieille admiration pour *La Nuit du chasseur* et Bresson, peut, dis-je, comme Cocteau repartant de Méliès ou Warhol repartant de Lumière, réinventer le cinéma.

II

MARGUERITE

Avertissement

Comme tous les extraits de journal, les fragments qui suivent sont tributaires de l'impression du moment. De là, parfois, des boutades, des caricatures, des jugements que l'on regrette ou que l'on nuance ensuite. Ces extraits n'échappent pas à la loi du genre. *Les passages complétés après coup sont signalés comme tels par des crochets et l'italique, ou par une indication datée.*

Toulon, mercredi 10 septembre 1975

Puisqu'on m'a encore mis au jury du « Cinéma différent » – qui ne comporte que deux autres membres, le cinéaste japonais Terayama et Marguerite Duras –, il fallait bien que je rencontre un jour ou l'autre la Grande Marguerite. Cela s'est fait de la façon la plus solennelle, ce soir. Comme je parlais avec Jean-Paul Dupuis et d'autres devant le cinéma Strasbourg, Michael Lonsdale (dont j'ai fait la connaissance hier) est venu vers moi et m'a dit (comme le messager particulier d'une princesse exotique) : « Marguerite Duras aimerait faire votre connaissance. Elle est là, elle vous attend. » Et il me désigne une voiture, arrêtée en pleine chaussée. Elle est au volant. Je m'approche donc, me courbe pour passer par-dessus le siège du passager de droite et serre, en bredouillant « enchanté », la main qu'elle me tend.

Dimanche 14 septembre 1975

Après le déjeuner des jurys (Christiane Rochefort, Micheline Presle, Yves Navarre, etc.), nous nous retrouvons, Marguerite Duras, Terayama, son interprète et amie Iroko Govaerts et moi, dans les grands salons vides de la Tour Blanche. Marguerite se met au piano et nous joue l'air d'*India Song* (qui est l'abrégé, le condensé – explique-t-elle – de *Blue Moon*) *[en fait, plutôt un* Blue Moon-*bis, de même genre, de même force mais différent : le talent de compositeur de Carlos d'Alessio n'était pas mince[1]]*, puis Blue Moon. *[C'est un numéro qu'elle refit souvent, ailleurs, plus tard, notamment à Paris, chez Claude Brunel et Jean-Paul Dupuis, où nous passâmes au cours des années suivantes plusieurs soirées exquises, ou à Neauphle-le-Château, où elle nous invitait parfois[2].]* Elle s'étonne que je ne sache pas jouer du piano. Elle s'étonne aussi que je n'aie pas vu ses précédents films.

Mardi 16 septembre 1975

[Attribution des prix du cinéma différent du Festival de Toulon. Notre petit jury de trois personnes tient à faire précéder l'annonce de ses récompenses d'une déclaration et de quelques explications[3]. Emportés par une sorte d'émulation dans le saugrenu et, tout simplement, par la liberté d'esprit, nous donnons des titres plus ou moins poétiques à nos prix et mentions : le « Prix de la lumière » à Babette Mangolte, le « Prix

----

1. Ajout de 1996.
2. Ajout de 1996.
3. Voir plus bas : Appendices, 1.

de la folie » à Kostas Sfikas, le « Prix de la porte entrouverte » à Louis Skorecki. Dans le fou rire, nous ajoutons, in
fine : « Le Prix de l'utopie, au grand regret du jury, n'a pu
être décerné. » Marguerite devant quitter Toulon avant la
cérémonie de clôture ou ne voulant pas se mettre en avant, je
ne sais plus, c'est moi qui suis chargé de la lecture. On
applaudit. Quand je redescends de la scène, Jean-Louis Bory
m'intercepte et me dit quelque chose comme « Sacrée Marguerite ! » Je lui explique que nous avons tous participé,
même Terayama, à l'élaboration du texte. Il me répond :
« Mais il y a des formules entières d'elle, cela se reconnaît tout
de suite ! » Il avait raison. Le document que j'ai retrouvé,
écrit au crayon et raturé, a beau être de ma main, des passages entiers ont manifestement été dictés par elle [1].]

Mardi 4 novembre 1975

Aprèm. Dialogue avec Marguerite Duras pour la télé
3ᵉ chaîne. [C'était une émission de l'excellent Philippe Collin.
Nous accompagnait l'attachée de presse du Festival de Toulon, Chantal Poupaud. Deux jours plus tôt avait éclaté la
nouvelle de l'assassinat de Pasolini. Je me revois en train d'en
parler avec Marguerite, dans la voiture qui nous conduisait à
l'émission ou nous en ramenait, mon interlocutrice étant
manifestement beaucoup moins émue que moi par cette
mort [2].]

---

1. Ajout de juin 2000.
2. Ajout de 1996.

Jeudi 10 novembre 1977

Mon texte sur *India Song* et les romans qui l'ont inspiré aura au moins eu un lecteur satisfait : Marguerite Duras elle-même. « C'est vraiment superbe, votre texte, m'écrit-elle. J'en ai lu des passages à des amis qui sont de mon avis – croyez à toute mon amitié. »

Samedi 25 mars 1978

Jeudi soir, été revoir *La Femme du Gange* à l'École normale supérieure. Marguerite est là, sans agressivité face à une foule médiocre. *Too much crowded.* Elle n'a pas su que j'étais venu : n'ai pas pu l'approcher. Où qu'elle aille, elle semble entourée, couvée, par une garde sacrée. Tristesse que quelques-uns de ceux avec qui on aimerait avoir de longs dialogues soient inaccessibles.

Mercredi 13 septembre 1978

Écrit à Marguerite Duras (si chaleureuse, si amicale au téléphone, ce matin) :

Qu'appareille vite *Le Navire Night* et qu'il soit pareil à la fois au bateau d'Ulysse et à ces grands paquebots qui fascinent les enfants (Fellini, par exemple), la nuit.

« *Oh ! la nuit ! Quand le vent tout empli de l'espace des mondes*
travaille et sculpte nos visages. »

(Je cite Rilke car je le sens proche de vous.)
Je vous embrasse,

Dominique

Vendredi 15 septembre 1978

Marguerite, avant-hier, l'air faussement navré : « Je deviens commerciale, mon pauvre Dominique. On réédite tous mes livres... »

Dimanche 1ᵉʳ octobre 1978

Paradoxe que Joyce, qui détestait tant Freud, soit aussi celui qui aura le plus (involontairement) autorisé, par les jeux de *Finnegans Wake*, les délires dérivants auxquels une certaine modernité puérile ramène l'analyse du texte littéraire (Meschonnic, les disciples maladroits de Kristeva ou de Lacan). Ainsi, l'auteur de cette thèse sur Duras qu'on me demande de juger et qui passe deux pages à repérer tous les mots, présents *ou non* (!) dans le texte, où se retrouvent les lettres « LA » ou « OR »! Ce qui donne par exemple : « De l'or des cheveux de Lol (p. 139) à la peau d'or de Tatiana (p. 85), du c(or)ps m(or)t de l'une (p. 186) au c(or)ps expl(or)é de l'autre (p. 155), l'or se répand dans le texte comme l'(o)deu(r) de seigle dans le champ (p. 185) ou comme le rem(or)ds de Tatiana dans la chambre (p. 155). L'(or)dre et le rythme h(or)aire de Lol n'ont d'égal que le dés(or)dre intérieur de Tatiana... »

De deux choses l'une : ou l'auteur du texte a voulu ces sortes de calembours cachés et cela n'a pas plus d'intérêt que les jeux de l'Oulipo. Ou il ne l'a pas voulu et l'on est en plein arbitraire : car qu'est-ce qui m'empêche, moi, de relever plutôt les mots où il y a – que sais-je? « SP », « RO », « PL » ou « CON »? J'en trouverais au moins autant et ça ne serait ni plus ni moins pertinent, en tout cas d'aussi peu d'intérêt.

C'est toujours le délire paranoïaque : on veut que *tout* ait été *voulu*, même les éléments les plus conventionnels de la langue, ou que tout ait un sens, même les phonèmes, que, pourtant, les linguistes ont toujours définis comme des unités sans signification propre. J'entends bien que, dans certains poèmes, l'écrivain joue supplémentairement de ces phonèmes et leur ajoute du sens (allitérations, « couleur » des voyelles – ô Rimbaud !). Mais systématiquement dans tout un roman, sauf exception remarquable (*La Disparition* de Perec), c'est aberrant.

25 novembre 1978

Fête chez Marguerite Duras à Neauphle. Beaucoup de monde, surtout des gens de cinéma (Bulle Ogier, Michael Lonsdale, Adolfo Arrieta, Jacques Grant, etc.). J'amène Katerina (qui téléphone tous les quarts d'heure à Maria), D. F. (qui s'emmerde comme un rat mort et à qui Marguerite demande, inquiète, « Qui êtes-vous, monsieur ? ») et Marcel Mazé (magnifiquement éméché). Pascal Bonitzer me renverse du vin sur le veston, « acte manqué », comme ils disent (pas du tout manqué ! mon veston neuf est foutu). Retour difficile : je suis ivre et malade (retour à l'enfance, à ces vomissements terribles en voiture). Ce moment (délicieux) où l'on devient « malade » dans le regard des autres : *objet* de mille sollicitudes. À un des arrêts qu'on fait pour moi, je titube tant que je roule dans un fossé (le ciel et la lune soudain au-dessus de moi, merveille). Dans quel état ai-je ce matin retrouvé mon corps après cette équipée ! Souillé de vomissures, des échardes profondes dans la paume, nu dans le lit.

Marguerite, de plus en plus : un visage énorme – pleine lune bienveillante – sur un petit corps.

6 décembre 1978

La carte géographique à la fin d'*India Song* : dernier effort pour éloigner de nous cette histoire dans l'espace comme elle l'est dans le temps.

Mardi 6 mars 1979

Marguerite : « Je ne veux pas faire de projection de presse pour le *Night*. Je veux le sortir dans une seule salle, etc. » Moi : « Dieu merci, je pourrai le voir : je ne suis pas la presse ! » Elle : « Oui, vous, vous êtes un ami. »

Vendredi 6 avril 1979

Entretien avec Marguerite, pour une émission de Radio Canada. Elle rentre en voiture de Neauphle spécialement pour l'occasion. Nous sommes en train de l'attendre, le technicien, envoyé par Radio Canada, et moi, devant le 5, rue Saint-Benoît – quand je l'entends qui m'interpelle, au volant. Elle dit qu'elle ne peut pas se garer, propose qu'on aille dans un café. Je l'en dissuade vivement. Je ne me vois pas en train de lui poser des questions devant tout le monde. Elle me donne les clefs de l'appartement tandis qu'elle cherche une place. Grand appartement, mi-abandonné mi-vieillot, avec des napperons chinois (« cela vaut des fortunes », « c'est les couleurs d'*India Song* », me dira-t-elle plus tard). Il fait froid, ce n'est pas chauffé. Le technicien sort, en l'attendant, acheter *Le Figaro*. Il n'a qu'une idée très vague de la personne que nous interviewons. Plus tard, lors d'une pause, il me demandera : « Est-ce qu'*elle* n'a pas été professeur de philo ou quelque chose comme ça ? »

Marguerite arrive. Elle n'a pas déjeuné, se fait un peu de poisson bouilli, prend un verre de vin et on commence [1].

Mardi 8 mai 1979

Première vraie journée de printemps. Douceur du soir. Je téléphone à Marguerite, qui a la grippe : « Je suis déprimée, me dit-elle, comme chaque fois que je reviens de voyage. » Puis elle me fait remarquer que moi, je ne suis pas parti. Je lui parle de la réticence de plus en plus vive que m'inspire l'Amérique, l'impérialisme culturel américain. Elle : « C'est fini. Le monde entier va à sa perte. » Sera-ce brusque ? « Le progrès a été très rapide, je vois la perte très rapide. » Mais, ajouté-je, voyez-vous cela comme une fin ? Imaginez-vous que dans un siècle on ne vous lira plus ? Réponse : « Moi, on me lira. Je suis dans un *gallup* (sic). Je suis dans les douze qui resteront. — Alors ce n'est pas une fin, vous n'êtes pas si pessimiste que ça ! — Je ne suis pas pessimiste, je m'en fous. » Et elle parle de naufrage.

Côté Sardanapale de cela : que le monde meure avec mes illusions, que le monde meure avec moi.

---

1. Voir en appendice des extraits de cet entretien inédit.

6 juillet 1979

Marguerite Duras au téléphone : « Le Christ hurlait ; il crie ; c'est des cris ; c'est sûr. Le *Deutéronome*, c'est un texte hurlé. »

13 juillet 1979

Lettre de Marguerite :

Cher Dominique, la projection des 2 courts-métrages aura lieu le lundi 16 juillet à Action-République à 13 h, pour Cournot, vous et Benoît. Si ça ne va pas pour vous, on fera de nouveau une projection. Téléphonez-moi pour me dire si ça va ou non.

Je tourne le 20 juillet le 3ᵉ volet de ce nouvel assemblage. Ce qui fera 1 h. Et ce sera fini pour Hyères.

Je vous embrasse très fort,

Marguerite

16 juillet 1979

Écrit à Marguerite Duras :

14 h, quelques minutes après avoir vu *Les Mains négatives* et quelques minutes avant de prendre mon train.

Sans attendre, donc, chère Marguerite, voici un signe pour vous dire toute mon admiration, ma *passion* pour ce film. « Film » : le mot ne va plus, qui semble toujours privilégier l'image. Certes, l'image est extraordinaire (oui, on n'a jamais *glissé* dans Paris comme cela – sauf peut-être à la fin des *Rendez-vous d'Anna* [1]), mais ce que vous dites fait tout éclater (et aurait pu se passer d'images, même). Cela éclaire le sens de toute votre œuvre, violemment – le souligne, le donne même en partie. « 30 000 ans » : c'est la question de l'histoire et de l'« éternité » – dont nous avions un peu parlé dans l'entretien.

(À SUIVRE)

Je vous embrasse très fort,

Dominique

26 juillet 1979

Écrit à Marguerite :

Bergame, le 26 juillet 1979, la nuit,

Chère Marguerite,

Je porte votre film en moi ; je le promène avec moi de ville en ville ; je me l'explique ; je le déplie.

Les Mains négatives, c'est évidemment la métaphore du cinéma – de votre cinéma. Ces mains étaient déjà du cinéma : des formes qui étaient des cris.

... Le long détour qui vous aura fait, par le cinéma qui semblait d'abord essentiellement l'exclure, redonner à entendre directement votre voix, votre cri. « Dit-elle », « crie-t-il », « on la retrouve à Chandernagor » : toutes ces médiations, ces *éloignements* dans la littérature même (pourtant apparemment plus propice au « je ») : balayés. *Vous,* de nouveau, directement. Entre-

---

1. Film de Chantal Akerman.

temps, par là, l'essence du cinéma a été changée. Vous nous le rendez. Vous rendez le cinéma aux écrivains.

(À SUIVRE)

Affectueusement à vous,

Dominique

2 août 1979

Troisième lettre à Marguerite (toutes ces lettres sur des cartes postales de villes, la nuit) :

Bologne, le 2 août 1979,

Bien chère Marguerite,

Encore ceci : *Les Mains négatives* me font mieux voir comment la création – votre création – procède. Par bourgeonnement, expansion d'un germe, épanouissement. Il y avait une phrase, déjà, dans *Le Navire Night*, à laquelle on prêtait peu d'attention mais qui annonçait *Les Mains négatives* : ce cri d'amour direct, glissé dans la narration indirecte (grammaticalement indirecte). Le voici, repris de plus loin, amplifié, avec des échos millénaires – avec son archéologie.

L'archéologie de l'amour, du cri d'amour.

[...]

Dominique

Hyères, samedi 1ᵉʳ septembre 1979

Avant-hier, discussion avec Robbe-Grillet sur *Cesarea*. Comme il s'en prend, évidemment, au manque d'humour de Marguerite, je lui cite la phrase de Rilke : « L'humour : la profondeur où il ne descend pas [1]. » Robbe-Grillet me répond que le mot « profondeur » ne fait pas partie de son vocabulaire. Puis, après quelques secondes, cette réplique : « La profondeur : là où l'humour ne descend pas ! »

Lundi 3 septembre 1979

Hargne (jalousie ?) de Robbe-Grillet envers Marguerite. Il qualifie sa voix de « pompeuse », imite ses expressions, raille sa façon de parler de ses propres œuvres de façon laudative (tout simplement parce qu'elle en est contente). Il me dit tout cela et ajoute, ironiquement : « Je sais bien que je parle au Grand Prêtre du culte ! »

Mardi 4 septembre 1979

Je suis devant la Rotonde avec Marguerite, avec les Queyrel (qui s'en vont assez vite) et avec Yves Navarre. Tout d'un coup, Marguerite dit qu'on vient de lui voler ses lunettes. Je regarde et vois des jeunes gens, menaçants, assis, et l'un d'entre eux qui part en courant. Yves Navarre hésite, puis se lance à sa poursuite. Je reste près de Marguerite, puis demande à un jeune homme qui est là [2] de la « garder », et je me mets à courir à mon tour dans la même direction. J'aperçois un jeune homme que j'avais

---

1. En fait, la phrase de Rilke est celle-ci : « Gagnez les profondeurs : l'ironie n'y descend pas. » [*Lettres à un jeune poète* (1903-1908), trad. Bernard Grasset et Rainer Biemel, Paris, Grasset, 1956, p. 27].
2. Qui se révèlera être Hervé Le Masson.

vu plusieurs fois au festival. Il accélère. Je le suis jusqu'à une venelle donnant dans la rue de l'Asile. Il se précipite vers une porte puis se retourne. Je lui parle des lunettes. Il est effrayé : « Monsieur, il faut que j'aille me coucher. Vous êtes dans une impasse privée. » Manifestement pas lui. *[Pari? Fétichisme? Le véritable coupable avait été rattrapé par Navarre et les lunettes – les grosses lunettes d'écaille d'alors – rechaussaient le soir même l'illustre nez[1].]*

Dans l'avion du retour : « Ce ciel! dit Marguerite. Un incendie bleu. »

Puis à table, à Paris [au restaurant de la rue Beaunier où nous déjeunons], avec Daniel Champagnon et sa femme : « Je suis une burlesque. Des amis me disent que je suis un personnage comique. C'est vrai. » Comme pour le prouver, elle ne cesse de raconter des histoires. Le type qui remplit un formulaire (« nom », « prénom », etc.) et qui, à la rubrique « né », répond : « Oui. » Et celle (qu'elle raconte à la fin avec l'accent africain) du chasseur qui revient bredouille : il annonce, dans un café où il y a des Noirs, qu'il a raté un aigle. « On ne dit pas un aig', corrige avec humeur un des Noirs, mais un oiseau de couleu'! »

Jeudi 6 septembre 1979

Les films préférés de Marguerite : *Ordet, Gertrud* – presque tout Dreyer, sauf *Jeanne d'Arc –, La Ruée vers l'or*

---

1. Ajout de 1998.

de Chaplin ; *2001* de Kubrick (surtout le début, les singes) ; *La Nuit du chasseur*. Fellini, non. Fritz Lang ? Oui.

Danger de l'influence, de la contagion. Le dernier soir du Festival, Marguerite veut écrire quelque chose contre l'anonymat des jurys. Sans la dissuader, je lui fais remarquer que l'anonymat des votes est une conquête démocratique et que tout dépend du contexte. Elle écrit, seule, à une table, en raturant beaucoup. Puis elle me lit le texte très beau et me le dicte, pour avoir une version lisible. Et alors j'écris chaque mot (avec son stylo !) comme s'il venait de moi. Et hier, à plusieurs reprises, je me surprends à *penser* des expressions, des tournures, qui sont d'elle – et, l'espace d'un moment, je m'effraie à songer que je ne pourrai plus écrire que comme elle (mauvais service à lui rendre ! hommage de décervelé !). Mais non, cela est passé.

11 septembre 1979

Reçu de Marguerite une carte de Trouville (« les Roches noires ») :

Nautilus 79,
Cher Dominique,
Ici tout est calme. Rien n'arrive sauf la chaleur, forte. Pas de vent. Les voiliers sont arrêtés. Il n'y a pas de couleurs. Je tente de retrouver Aurélia Steiner. Elle, elle ne sait pas que j'existe et ça m'est très difficile de faire qu'elle ne le sache jamais. (...)

Marguerite

1 h 1/2 du matin : c'est pas mal *Network*, surtout Finch, mon ami.

Mercredi 26 septembre 1979

Marguerite rajeunie de dix ans. Patrick Straram [1], au contraire, vieilli, empâté, amoché mais lucide, faisant son grand numéro devant elle. Marguerite, après son départ : « Il m'effraie encore. Heureusement que vous étiez là. » Je la raccompagne chez elle, où elle me fait lire le nouvel *Aurélia Steiner*. Je dois le lire deux fois pour qu'il me soit bien présent à l'esprit : une fois pour les phrases, les mots – la cellule, la merveille qu'est chaque phrase –, et une fois pour que les appels, allusions et brusques dérapages prennent sens et forment cette violente histoire d'inceste.

Après, je lui dis que ce texte fait basculer tous les précédents, qu'il est le centre de quelque chose et qu'il rejette *Cesarea* et *Les Mains négatives* ailleurs – périphérie, préambule ou contrepoint. Cependant, j'ai toujours peur de ce qui manque, du trop d'abstraction – peur que ses textes ne soient pas compréhensibles, ou seulement après plusieurs lectures, qu'il n'y ait plus le plaisir fondant que donne *Lol V. Stein* ou *Le Vice-consul* (lecture claire, d'emblée). Mais non, cela *parle* vite. Je la dissuade de réutiliser les images du précédent court-métrage, et ne suis pas chaud non plus pour du noir (bien que je lui aie soutenu en 1975 que ce serait le vrai point limite du cinéma),

---

1. Critique de cinéma et de jazz, écrivain, poète. Déserteur pendant la guerre d'Algérie, il s'était exilé au Québec. Ces derniers temps, il avait écrit à Marguerite, dont il admirait les films, et m'avait demandé d'intervenir pour qu'elle le reçoive à Paris. *[Note de 1998.]*

ni pour l'idée d'un plan fixe de nuages qui, d'abord, m'avait emballé. Elle me montre des photos de Boubat (elle en a utilisé deux ou trois dans *India Song*) : elle a aussi l'idée de les filmer une à une. Ce qui serait bien, finis-je par penser et lui dire, ce serait du noir avec de brèves plages de visible amenées ou non par un fondu enchaîné : soit des chutes du précédent *Aurélia Steiner*, soit des nuages, soit des photos en noir et blanc de la jeune fille.

Je remarque qu'il y a dans le texte le mot « Dieu ». Il était déjà une fois dans *Lol V. Stein*, me rappelle-t-elle. Puis elle me « rassure » : « Je ne suis pas croyante. » Pascal, qu'elle aime tant ? « C'était un incroyant. » N'empêche : il y a des mots dangereux, par où le sens peut glisser. Surtout ici, avec cette conception (très belle, d'ailleurs) de l'amour *général*.

Mercredi 10 octobre 1979

Marguerite, de Mendès France (après que je lui ai parlé de Rocard) : « Son infirmité sublime : cette impossibilité de mentir. »

Vendredi 12 octobre 1979

Carte de Marguerite (au recto, *Coucher de soleil à La Corbière, Jersey*) :

Jeudi 11 oct. 79,
Dominique, je rentre samedi. Je suis ici, absente, dans ce film dont je ne sais pas encore s'il va exister ou

non. À Jersey, les plages sont noires d'algues, c'est très beau, la côte est déchirée avec des alternances de baies roses. Et la mer est bleue pour vous. Je vous embrasse,

Marguerite

Mercredi 24 octobre 1979

Dîner avec Marguerite et Patrick Bensard. La présence de Patrick amène Marguerite à comparer sa pratique à celle de la danse – cet art où l'on se met complètement, aveuglément, en jeu. Dans le taxi, elle ajoute : « Je n'ai jamais écrit en état de complète certitude sur ce que je faisais. »

Jeudi 25 octobre 1979

Lancement de *Vendredi*. Le journal existe. Il aurait pu être pire. Tout est possible encore. Comme je propose à Marguerite d'y écrire, elle accepte de nous faire des « recettes », évidemment dans un sens particulier. Celle qu'elle me montre et qu'elle avait publiée dans *Sorcières*, sur la soupe aux poireaux, est étonnante : partant des données vraies de la recette, elle débouche sur l'odeur du vomi des nourrissons dans les maisons et sur le suicide. Phénoménologie sauvage ; parole de ménagère tournant à la métaphysique. Je lui dis que ce détournement d'une forme terre-à-terre peut donner quelque chose comme les « mythologies » de Barthes ou les « faits-divers » de Jouhandeau.

Vendredi 26 octobre 1979

Rêve. M. D. et moi dans une sorte de cérémonie. Un ecclésiastique ignoble parle (le Pape ?). Il se met à faire des allusions déplaisantes à la richesse (et aux turpitudes ?) de Marguerite. Alors elle, qui est assise à côté de lui, fait un scandale : elle retire sa petite culotte et la lui présente avec le bâton périodique : « Tenez, je n'ai pas bougé depuis mardi ! » La petite culotte (bleue) atterrit sur moi, qui l'écarte. À ce moment, je suis assis et, sous la table, mon pantalon et mon slip sont baissés. Je les remonte, cependant que, par une fenêtre située juste au-dessus (la table est collée contre le mur), des gamins regardent...

Mardi 20 novembre 1979

Marguerite. Son numéro habituel quand elle a fini un film : « C'est admirable. Je me sens déprimée. Tous ces jours-ci, je me suis interdit de pleurer – mais maintenant... » (et puis un couplet sur son « imbécillité » – à se juger elle-même, à apprécier ce qu'elle a fait). Puis : « Cournot [ou X, Y] trouve que c'est le plus beau film qu'il a jamais vu. Il m'en a parlé au téléphone une heure et demie. » Puis : « Il parle de "don". Je sais que vous n'aimez pas ce mot, que vous n'y croyez pas... » (Elle se souvient d'une conversation que nous avons eue avec Patrick Bensard, où je plaidais pour l'*acquis* contre l'*inné*.) La voilà rengoncée dans l'habit réputé « idéaliste » il n'y a guère : le créateur « doué », « inconscient » de ce qu'il fait. À l'appui de cette thèse

118

(que je ne combats que parce qu'elle nous arrange trop bien), elle évoque son enfance : « Je ne parlais que le vietnamien. Petite fille maigre, butée. Je me souviens : la première fois que j'ai été à l'école, on m'avait donné « la Pléiade » – un livre de poèmes de Ronsard – et j'ai eu 19. »

Marguerite : les faiblesses narcissiques des grands créateurs. Confite dans son moi. Et cependant si ouverte aux autres.

Son humour : « J'ai mis un petit escabeau près d'une grande chaise, je suis montée, j'avais un regard *d'ensemble* sur le placard. Et pourtant, je n'ai rien trouvé. » Elle cherchait les fameuses recettes. Par contre, elle a retrouvé un journal des années d'occupation et de la suite, quand son mari était dans les camps puis est revenu.

Elle me parle de ses somnifères, qui la font dormir « comme un bébé ». Moi : « N'est-ce pas dangereux ? » Elle : « Évidemment, il ne faut pas les laisser traîner sur la table de nuit dans les moments de dépression... »

Jeudi 22 novembre 1979

Écrit à Marguerite :

Ne vous étonnez pas de ne pas recevoir de coup de téléphone de moi avant lundi : je pars à Lyon pérorer (quelle horreur !) et surtout écouter, dans un colloque. Je termine ma communication au galop (et même à la cravache), sans beaucoup dormir. Je ne verrai donc *Aurélia Steiner II* que lundi, avant de venir vous voir.

J'ai failli mettre le feu aux poudres à *Vendredi* en demandant à faire l'article de tête, la prochaine fois, sur *Aurélia Steiner II* et quelques autres films qui sortent. C'était pour voir : ces messieurs me prennent un peu trop pour un journaleux; ils ne voient pas l'honneur que je leur fais en écrivant dans leur feuille; ils ne voient pas non plus qu'ils parlent du cinéma comme on le fait partout ailleurs, de *Minute* à *L'Huma* – et qu'il n'y a que moi, moi parlant de vous, qui les sauve un peu. (Fin de la minute des grands chevaux et de l'orgueilleuse indignation.)

Je vous embrasse et vous dis à lundi.

D.

P.-S. Inutile de vous dire combien ce délai nouveau pour *Aurélia S.* me met sur des braises.

Lundi 26 novembre 1979

Soirée chez les Dupuis avec Marguerite et Patrick Bensard. La soirée où l'on a chanté.

Samedi 1ᵉʳ décembre 1979

Hier soir, Marguerite m'invite à dîner. Elle nous fait, à Raoul Escari – autre invité – et moi, du gratin de poireaux (des poireaux frais, du lait frais, de la crème fraîche et du gruyère) et des steaks (très saignants) beurrés aux anchois. Tout cela inhabituel et fort bon. Elle est fière de sa cuisine (« on dit que j'ai une des meilleures tables de France [1] »). Elle m'avait appelé parce qu'elle se sentait « déprimée ». En fait, elle est blessée d'apprendre que Paolo Branco arrêtera *Aurélia Steiner* le 12, bien que ça marche très bien (elle téléphone plusieurs fois par jour au cinéma : elle sait les chiffres séance après séance). Elle a, parlant de cette contrariété, son air de petite fille en colère, d'une colère qui ne veut pas éclater, veut se perdre dans un jeu du corps, s'éparpiller dans une petite grimace douce (comme l'électricité dans la prise de terre) : elle serre les dents et heurte plusieurs fois ses poings l'un contre l'autre – comme une enfant polie qui ne veut pas crier, qui *se contient.*

À un moment (je suis en face d'elle, à la place du visiteur, devant le bureau où elle écrit, les coudes sur le bureau), elle a un air un peu solennel : « Je veux te dire une chose... » Silence. Elle semble chercher, puis me regarde. « *Je ne suis pas sûre d'avoir encore envie de vivre...* » Puis, comme pour atténuer aussitôt l'angoisse qu'elle a fait naître, comme par un retour de décence : « Vivre, pour moi, c'est faire des films. » Or – toujours cette contrariété avec son « immigré milliardaire », le directeur de l'Action République – elle dit qu'elle pense arrêter d'en faire. Et sans les films, il n'y a rien dans sa vie, que la terrible *mort* de l'écriture. L'écriture du côté de la mort, le cinéma du côté de la vie : peut-être parce que l'écriture est solitude et que cette femme qui entre dans la vieillesse ne supporte plus la solitude.

Elle me donne aussi un des deux exemplaires d'*Aurélia Steiner* (le livre) qu'elle vient de recevoir. Elle veut

---

1. Toujours sa mégalomanie... *[Note du 27 décembre 1985.]*

que je lise sur-le-champ le dernier texte, que je ne connais pas. Je vais m'enfermer dans une pièce et je lis. C'est l'Aurélia aux bombardements, grave et bouleversante par l'unité de lieu, presque mythique : une tour entourée de forêts et du bruit effrayant des avions de bombardement. Je reviens, lui dis que je suis bouleversé, que je suis né sous les bombes, moi aussi. Elle m'embrasse.

Côté excessif de tout cela. Les relations avec Marguerite ont toujours un côté hyperbolique.

J'en aurai connu, de ces créateurs, qui ne vous aiment, au fond, que tout occupé d'eux, de leur œuvre, de leur destin, de leur humeur, de leurs soucis! Souvent, ils ne perçoivent pas l'incongruité de cela, ils ne voient pas l'arnaque narcissique – ils pensent simplement partager une même passion, généreusement, amicalement. Cette passion? Eux.

Dimanche 30 décembre 1979

Soirée d'hier à Neauphle. Douleur secrète à entendre Marguerite s'emballer (par une sorte d'entraînement progressif) pour le roman d'un autre, jusqu'à parler de lui faire une préface. Car je ne lui ai encore jamais dit que j'écrivais – et m'interdis d'ailleurs de profiter le moins du monde d'elle pour assurer mon destin littéraire.

Histoire que nous raconte Marguerite. Un couple d'Anglais distingués. Lui : « *Darling!* J'aimerais infiniment que nous fassions l'amour à la manière des chiens! » Elle, après un moment de réflexion : « Soit, *darling*.

Mais ne pourrions-nous pas nous arranger pour choisir une rue où nous ne sommes pas trop connus ? »

Vendredi 25 janvier 1980

[À Bologne avec Jean Eustache.] Ce soir, comme nous rentrons à l'hôtel : « Marguerite Duras est une lâche. Je lui ai téléphoné à la mort de ma femme, c'était un appel au secours, et elle a raccroché en me disant : "Je ne peux rien te dire." »

Lundi 11 février 1980

L'autre jour, Marguerite, devant Bonitzer, me dit : « Tu travailles comme un buffle ! »

Samedi 16 février 1980

Neauphle-le-Château. Ému de trouver chez Marguerite une photo de Jean-Louis Bory avec elle, tous les deux plus jeunes, rayonnants de rire. (Elle qui, à deux reprises, ne m'avait répondu sur Jean-Louis, que : « Je le voyais très peu. »)

« Modèle » d'Anne-Marie Stretter : Mme Striedter, morte en 1978 (voir faire-part dans *Le Monde* du 11 octobre 1978). C'était l'autre soir, après le dîner au Petit Saint-Benoît : Marguerite nous a montré toutes les photos que la petite-fille de cette dame lui a passées. J'éprouve un extraordinaire désir pour l'une des deux adolescentes filles d'« Anne-Marie Stretter » qu'on voit sur tous les clichés. Cette jeune beauté sensuelle doit avoir aujourd'hui quelque chose comme soixante printemps.

Il y avait chez Marguerite à Neauphle une invitée belle à couper le souffle : Armelle. Belle, sans doute métisse, avec une peau d'une finesse extrême. Marguerite nous l'avait décrite quelques heures avant et je peux rétrospectivement témoigner de la vérité de sa description et en inférer la justesse de son regard d'écrivain.

Mardi 1er avril 1980

Ce soir, au Bonaparte, avec Marguerite, Sandro, etc. Marguerite est décidément le prototype de l'esprit gauchiste au mauvais sens du mot, irresponsable et inconséquent. Elle admire ceux qui volent, se vante d'avoir aidé Benoît Jacquot à voler des livres, trouve que si on empêchait le vol dans les librairies personne ne lirait plus, etc., cinq minutes avant de déplorer la maigreur des droits d'auteur que lui verse Jérôme Lindon ou que les flics ne viennent plus aujourd'hui quand on est cambriolé. Au demeurant la meilleure personne du monde, et généreuse – mais, comment dire? le contraire de Kant, incapable de passer moralement de l'individuel à l'universel.

L'autre soir, devant Raoul et moi, elle évoque le petit « drame » des Dupuis, la passion d'Anne et de Jean-Pierre Ceton. Claude, en larmes, lui aurait dit au téléphone : « Elle [Anne] menait si bien sa vie! Elle n'a que dix-huit ans! » Et Marguerite de commenter, en pleine jubilation : à dix-huit ans, elle, elle avait connu « soixante-douze garçons »! « Oui, l'hôtelier – j'étais rue Monsieur-le-Prince – m'a dit un jour : "En tout, soixante-douze garçons sont venus vous voir!" Il les comptait. (Bien sûr, je ne faisais pas l'amour avec tous!) Ma mère me battait quand elle me voyait avec un garçon. Alors, dès que j'ai pu, je me suis rattrapée. »

Vendredi 4 avril 1980

Hier soir, dîner au Ti Coz avec Marguerite, Jean-Pierre Ceton, Marcel, Claude et Jean-Paul. À un moment, souffrance. Marguerite parle de son talent de détecteur d'écrivains. « Je dois avouer que je sais les reconnaître », dit-elle. Et moi, muet, écrivain secret, toujours secret, crevant du secret!

Lundi 5 mai 1980

Rêve : chez Barthes, le jour des funérailles de Christian Metz *(sic)*. Je fais don à regret d'une boîte de champignons très chers pour le déjeuner. Ensuite, Barthes est mort. Je reste un instant seul dans son bureau : des papiers, des carnets auxquels personne ne fait attention. J'ouvre un tiroir, en trouve d'autres. Je décide d'emporter un carnet avec des dessins en couleur, couvert d'une écriture d'enfant, et quelques autres feuillets. Dehors, nous rencontrons Wim Wenders dans une espèce de petite jeep; il est comme nu, en deuil.

Marguerite, à qui je raconte ce rêve, me dit que les champignons ont à voir avec la terre. « Tu m'as déjà demandé où il est enterré [Barthes] : cela te préoccupe, me dit-elle. C'est cela, tes champignons. »

Vendredi 16 mai 1980

Un jeune homme anonyme me téléphone et m'annonce que le sujet de français tombé ce matin au concours d'entrée à l'École normale supérieure de Saint-Cloud était constitué d'une phrase de moi sur Marguerite Duras. Il me demande ce qu'il fallait dire...

Lundi 19 mai 1980

Hier, à Neauphle, Marguerite, un peu ronchonne (à cause d'Outa ? de ce qu'elle n'écrit plus ?), agressive, même, parle d'alcoolisme. « Même quand je buvais, déclare-t-elle, je peux dire que je n'ai jamais rien écrit sous l'effet de l'alcool. Quand je me sentais sur la pente de l'ivresse, je déchirais tout. »

Lundi 23 juin 1980

Festival d'Hyères. Au dîner-souper de ce soir, à La Fourchette : Jean-Paul Dupuis, Marceline Loridan, Christiane Rochefort, Jean-Paul Cayeux, Jean-Pierre Ceton, Anne Luthaud, Paméla Dussaud (de France Culture), Claude Brunel, Marguerite Duras. Ces repas que nous faisons là sont parmi les plus joyeux, chaleureux, heureux qu'on puisse faire.

Marceline, Christiane et Marguerite : les trois petites *grandes dames* du Festival.

Jeudi 10 juillet 1980

Quand *Aurélia Steiner* passait à l'Action République, Marguerite qui, comme je l'ai dit, téléphonait chaque jour pour connaître le nombre d'entrées, se flattait fort de ceci, qu'on lui avait raconté : un couple de gens populaires, entré par erreur, d'abord surpris par son film, avait décidé de rester et l'avait vu jusqu'au bout. Marguerite croyait alors à l'*illimitation* de son public. C'était une sorte de rousseauïsme des salles : le public était naturellement bon, il pourrait à la longue venir en masse voir les films de Duras si on avait un peu de patience et si on ne le pervertissait pas. Et puis, un dimanche, passant sur les grands boulevards, je croise une foule gigantesque allongée en queue de plus d'un demi-kilomètre : le public du Rex. J'en parle à Marguerite : « Ces gens-là, lui dis-je, ne seront jamais à nous, et qu'importe ? Ils sont respectables, comme nous. Les deux cinémas coexistent, voilà tout. » Je retrouve cette idée dans *Les Yeux verts*, mais sans la tolérance : les deux publics coexistent, mais, dit-elle, l'un est aliéné, paresseux, de droite.

C'est en partie juste et en partie injuste : car l'aliénation, ce plaisir à se ruer dans la routine, à ne pas tant voir qu'éternellement *revoir*, n'est qu'en partie l'effet d'un choix (et d'une faute). N'entre pas dans l'art qui veut. Par ailleurs, c'est vrai : il y en a qui s'accrochent et qui, aidés ou non par une sensibilité ou des circonstances particulières, *entrent*, et instaurent, du même coup, la responsabilité négative de ceux qui n'*entrent* pas (tout de même que l'existence d'antinazis en Allemagne sous Hitler établit *ipso facto* la responsabilité de la majorité du peuple allemand hitlérisé). Entrer en art, c'est entrer en doute, choisir l'imprévisible d'une vision sans routine et sans balises, errer, devenir par là soi-même imprévisible – ce qu'ils appellent, dans les polices et les académies, « être subversif ».

Mercredi 16 juillet 1980

Ce soir, Marguerite, à qui je demande, comme une confirmation, si elle signa bien le *Manifeste des 121*, me répond, en souriant, qu'il a été écrit chez elle, par Blanchot et Mascolo, dans le petit salon de la rue Saint-Benoît. Elle qui, au diapason de Jean-Pierre Ceton, parlait quelques minutes plus tôt avec ravissement de l'« indifférence » comme mot d'ordre politique, la voilà qui vibre à l'évocation de ce grand moment d'engagement. Puis elle nous raconte que Mascolo et elle ont caché à Neauphle un des trésors du F.L.N.

J'ai conscience, de plus en plus, qu'elle ne m'aime pas tant que cela, moins en tout cas que tous ceux que je lui ai fait connaître en l'attirant à Hyères l'an dernier. Est-ce parce que je ne suis pas inconditionnellement d'accord avec elle, ou, comme avec Bory naguère, parce que je ne suis pas assez accrocheur, assez distrayant ? C'est sans doute ma faute, mais le fait est là. La seule façon de n'en être pas trop marri, de ne pas trop paranoïser, de retrouver même un peu de grâce à ses yeux est peut-être désormais de prendre du champ.

Jeudi 31 juillet 1980

Marguerite Duras : sa génération, après les camps, peut tout se permettre. Pas les jeunes d'aujourd'hui. Les jeunes dignes d'elle sont les déserteurs, les insoumis, pas Ceton, pas moi.

Sauf exception, il est désormais inconcevable que M. D. *écrive mal.*

Mais elle va encore plus me détester de ces accès de vérité si je note les exceptions (ce qu'elle écrit sur la photographie, dans *Les Yeux verts*, par exemple).

M. D. ne semble pas juger les êtres d'âme à âme, mais de fête en fête : c'est pour elle à qui, tel soir, sera le plus en verve.

Mercredi 6 août 1980

Ce soir, dîner chez Marie-Christine de Navacelle. Beaucoup de gens qui ne se connaissent pas. Marguerite à l'aise, cependant. Elle dit avoir vu une photo de quelqu'un qu'elle connaît qui montre un graffiti. On y lit : « Comment les homosexuelles se reproduisent-elles ? – De bouche à oreille. »

Lundi 25 août 1980

Marguerite au téléphone : elle exulte littéralement de m'entendre, ne savait pas que j'étais parti, croyait que j'étais fâché. Elle doit se sentir seule.

En tout cas, voilà la recette pour avoir un peu de sa tendresse : s'abstenir longtemps de la voir. C'est ce qu'a compris Patrick B., dont, d'ailleurs, elle me parle et qu'elle aimerait voir un soir avec moi. Elle m'invite même, moins mollement que d'habitude, à venir à Trouville – où elle a « un ami, Serge, qui se baigne tout le temps » (est-ce un des cocos des *Cahiers* ?).

Jeudi 28 août 1980

Idée d'un article central sur Marguerite : toute son œuvre comme effort de *rattachement* pour combler une séparation première. Dont le voyeurisme est la manifestation. Car qu'est-ce qu'être voyeur ? C'est être *en face* des autres, de la vie, de sa vie – de tout. En face, c'est-à-dire séparé. D'où désir de rétablir une communication, *mais qui n'abolisse pas la séparation*, donc avec un destinataire absent (comme le père mort) : les conversations de bistrot, le téléphone, les lettres d'Aurélia – bientôt Dieu ? Fonction phatique [1] surdéveloppée (« vous voyez ? ») : *œuvre phatique*. Exemplaire, car qu'est-ce d'autre qu'être écrivain ?

---

1. Au sens de Bronislaw Malinowski et de Roman Jakobson : fonction de contact, désignant tout message destiné à vérifier que la communication est établie avec l'interlocuteur (« Allô, vous m'entendez ? »).

Mardi 16 septembre 1980

Marguerite, toujours hyperbolique, comme je lui téléphone pour la première fois depuis mon retour d'Italie : « Quelle joie ! » Puis, à propos des *Cahiers du cinéma,* quelque chose comme : « Je croule sous leurs coups de téléphone, eux qui m'ont [attaquée ? ignorée ? assassinée ? – un mot assez fort] pendant des années ! En tout cas, c'est vous que je préfère à tout jamais ["nous" : moi, Marcel, ceux d'Hyères et du cinéma "différent"]. »

Lundi 29 septembre 1980

Marguerite dîne chez moi, au milieu de huit autres personnes. La nouvelle de la soirée : elle annonce qu'elle va faire un film avec Godard.

Mercredi 15 décembre 1980

Hier, soirée chez les Dupuis. Marguerite y paraît avec son nouveau favori, Yann Andréa. Je vois à quoi ma perpétuelle demi-disgrâce me fait échapper – et que peut-être j'ai paru tel quand je l'accompagnais à Hyères ou en Italie. Sa tête de Turc, ce soir : D., qu'elle décrit comme radin et sentant la mauvaise frite graisseuse (« Je suis obligée d'ouvrir la fenêtre après son passage »). Sur B., jadis bien en cour, j'entends : « B., cette pute ! » – et me dis qu'un jour, parce que, simplement, j'aurai écrit du bien de quelqu'un qu'elle n'aime pas, elle le dira peut-être aussi de moi. N'empêche : les deux traits à quoi elle semble sensible jusqu'à l'obsession et qui forment le fond de ses injures sont la saleté et l'avarice, dont quelque chose me dit qu'elles sont, comme chez tant de femmes de la petite bourgeoisie qui ont *manqué* dans leur enfance – comme ma grand-mère ou ma mère –, les travers qui la menacent le plus, elle-même, et dont elle ne parle tant, peut-être, que pour les conjurer. Ce côté *clocharde*.

Lundi 29 décembre 1980

Je vais voir ce soir Marguerite chez elle. Elle me dit qu'elle garde mes lettres dans sa commode *(geste)* et, d'un mouvement de visage, me signifie que c'est un honneur peu partagé. Puis : « Qu'est-ce que tu préfères que je fasse : écrire ou filmer ? » Moi : « Écrire ! C'est tellement plus important, plus difficile. Le cinéma... je ne dirai pas que c'est une distraction, mais... — Tu as raison. Pour moi, c'est une *récréation*. »

31 décembre 1980-1ᵉʳ janvier 1981

Réveillon à Neauphle *(photo)*. À minuit, Marguerite m'embrasse sur la bouche.

2 janvier 1981

Possessivité cruelle de Marguerite. Mais fragilité de Marguerite. Elle aime l'amour, qui lui fait mal. Les appels éthérés d'Aurélia Steiner ne faisaient que donner le change. Elle est encore capable de désir, règle ses sympathies sur la couleur des yeux, l'attrait physique de ceux qui l'approchent (Jean-Pierre). Prête à la passion, prête à la fournaise et à la torture – et si, d'aventure, une mouche se prend à sa toile, prête à torturer.

Rome, le 24 janvier 1981

Hier, déjeuner chez Nino, via Borgognona, avec Marguerite, Ester [1] et le conseiller culturel français, un certain Zabriev – qui me paraît très bien. Marguerite qui, maintenant, ne cesse de voir des homosexuels partout (« Untel est homosexuel, n'est-ce pas ? — Je ne sais pas, je ne crois pas. — Mais si ! J'en suis sûre, je le sens ! »), se lance soudain dans une tirade contre « eux » : à Paris, « ils » tiennent tout, le théâtre, la décoration, etc. Je lui fais remarquer que ces propos sans nuance rappellent les tirades contre n'importe quels minoritaires, les Juifs, par exemple, « qui-tiennent-la-banque » ou « qui-tiennent-le-pays ». Elle n'est pas contente. Et Ester qui lui prête main-forte ! elle que je croyais homosexuelle – il est vrai qu'elle ne s'en prend qu'aux homosexuels masculins, leur reprochant de reconstituer le couple bourgeois et d'y rétablir le rôle classique de la femme.

Il y a plusieurs Duras et, parmi elles, hélas, une Duras réactionnaire, qui a peur de sortir le soir, qui est pour la peine de mort, n'aime pas les Arabes et mainte-

------

1. Ester Carla de Miro, critique et professeur de cinéma à l'université de Gênes.

nant les homosexuels. Sans doute est-ce pour d'autres raisons que les concierges ; et il lui arrive de dire le contraire. Sans doute aussi, nul n'est plus entouré d'homosexuels qu'elle et, souvent, elle en semble ravie – mais peut-être souffre-t-elle que certains ne l'aiment que de loin (Yann Andréa ?).

Au cours de l'échange, elle déclare qu'elle a été « la maîtresse » de Merleau-Ponty.

À l'hôtel Eliseo, où je vais, avec Enza [1], chercher Marguerite, la télévision montre assez longuement le congrès socialiste qui vient de couronner Mitterrand : tous debout, applaudissant, et Mitterrand immobile, au milieu. Marguerite a dit hier qu'elle voterait pour lui, s'il le fallait, au deuxième tour.

Soirée chez Paola Pandolfi, avec Ester, Enza, Marguerite, Outa et son amie, Michèle Manceaux, Marcel Marcus (magistrat à Lille), X (féministe et dramaturge italienne), Michèle Barbé (jeune architecte pensionnaire à la Villa Médicis), Pompola [?] (secrétaire générale de la Villa Médicis), Carlo Lizzani, Maurizio (jeune diplomate italien), etc. Marguerite commence par être agressive sur le Tchad et sur la veuve Mao. Puis cela se passe bien.

---

1. Enza Troianelli, jeune critique de cinéma.

Lundi 26 janvier 1981

Je rentre de Rome seul avec Marguerite. Dans l'Airbus presque vide, nous buvons champagne sur champagne. Cela aide à ces retrouvailles. Elle entreprend de me parler de sa vie, de sa peur de retrouver Andréa. « Il y a dix ans que je suis seule, que je n'ai pas eu d'amant. » « Faut-il vivre dans le malheur avec quelqu'un ou vivre seule(e) ? » Elle ajoute à ce qu'elle disait à Rome sur le texte (« être en arrière du texte », etc.) que si elle dit les textes mieux que quiconque, c'est parce qu'elle est « dans la mort » en les disant, tout entière en eux, sans plus rien qu'eux, sans avenir. Elle me dit qu'elle m'aime bien et l'atmosphère est si propice que je lui parle du « manuscrit de Zurich [1] » et, finalement, comme elle devine enfin que c'est de moi, je lui avoue la prochaine parution de *M & R* « Sans blague ! » Elle en semble épatée, curieuse, me redemande, quand je la quitte le soir, de lui en faire porter un exemplaire avant son départ pour Trouville.

Elle a des fous rires, fait des farces verbales, m'appelle « mon petit lapin », dit des choses intimes en parlant très fort...

Mardi 27 janvier 1981

Je reçois ce matin, par une heureuse coïncidence, les dix premiers exemplaires de mon roman. J'en porte un,

---

1. Au cours d'un précédent voyage en avion, je lui avais proposé, pendant une escale à Zurich, de lire un manuscrit, sans lui dire que c'était de moi. Elle avait refusé.

vers midi, à Marguerite. Elle le feuillette un peu, remarque qu'il y a du grec et du latin, puis elle prend un appel au téléphone et je la quitte. En arrivant chez elle, j'en relisais des bouts et je suis tombé sur « Il avait les yeux verts ». Je me dis qu'elle va y voir une allusion (alors que cela a été écrit quatre ou cinq ans avant son numéro des *Cahiers du cinéma*) – et tout ainsi : je me mets si bien à sa place que je devine dix façons diverses qu'elle pourrait avoir de s'identifier, ou de rejeter ce livre. (Hier, dans l'avion, aussitôt que je lui ai dit le titre, elle m'a demandé qui désignaient ces initiales. Elle pensait peut-être qu'« M. », c'était elle.)

Samedi 31 janvier 1981

Que je note tout de même ces bouts de phrase que m'a dites Marguerite, lundi dernier, dans l'avion, à peine audibles, comme arrachées d'un moi plus profond. « Mon petit frère... » (à propos d'*Agatha*), puis, comme elle me parle des lettres de Yann Andréa et que je lui demande s'il écrit bien, elle répond « oui », puis ajoute (ai-je bien entendu ? elle était alors tournée vers le hublot) : « Bien sûr, pas aussi bien que vous, monsieur ! »

Hier, voyage à Caen pour l'entendre avec Andréa sur scène dire *Agatha*. Souper avec Claude, Jean-Paul et une de leurs amies. Sur la route du retour, en voiture, des flambées de brouillard, soudain, obligent Jean-Paul à ralentir, on ne voit plus rien. Ils me laissent chez moi à 4 h du matin.

Triomphe de Truffaut à la remise des « Césars du cinéma français ». Obscénité cependant de cette cérémonie où Marguerite n'est pas citée une seule fois (même dans la liste des films français importants de la décennie, où auraient dû figurer au moins *India Song* ou *Le Camion*).

Vendredi 13 février 1981

Bruges. Absolument sous le charme du nouveau livre de Gracq, *En lisant, en écrivant*, sorte de *Lettrines III*. Il y a des années qu'un livre ne m'a pas donné un tel et si riche plaisir de pensée, *à chaque ligne*, que celui-là (si : *Solde*, de Frank). Connaître Gracq, cet archicube type, du moins correspondre avec lui. Sa fréquentation m'apporterait (m'apporte déjà, par ses livres) ce que Marguerite, si géniale qu'elle soit, ne m'apportera jamais car, comme Zola, dont Flaubert ne cesse de dire, dans sa *Correspondance*, que c'est un sacré bonhomme mais qu'il n'a aucune culture, Marguerite n'est pas *cultivée*, je veux dire n'a pas le culte de la littérature, ne cherche pas dans la connaissance des œuvres des autres, passées ou présentes, d'inépuisables sources de *délectation*.

Toujours un rien de flagornerie dans ce que j'écris à Marguerite! Ainsi, si j'ai le courage de lui dire que *L'Amour* est le seul de ses livres « que je n'aime pas de passion », c'est pour aussitôt ajouter « mais de raison ». Il y a tout de même une honnêteté, une témérité qui sauve l'honneur, à employer la litote avec quelqu'un

137

qui vit si bien dans l'hyperbole! Flagornerie, soit, cependant, quand je termine ma carte d'aujourd'hui par : « *Agatha* te donne droit au prix Nobel. » Non parce que je force ma pensée (je pense depuis belle lurette qu'elle mérite cette consécration), mais parce que je la *vois* déjà disant au téléphone à toutes nos connaissances : « Noguez dit que je devrais avoir le Nobel », avec l'air (mais *à peine*) de signifier « il exagère », en attendant qu'on proteste que non. Avec cette petite phrase – cette conviction intime que je galvaude –, me voici assuré de triompher au moins quarante-huit heures au *hit parade* des faire-valoir durassiens.

Dimanche 15 février 1981

Marguerite, l'autre jour, dans l'avion, après avoir remarqué que Jean-Paul se plaignait un peu trop : « Moi, je ne me plains pas... Toi, tu ne te plains jamais non plus. »

Mercredi 4 mars 1981

Curieux Maurice Lemaître : après avoir pondu plusieurs textes injurieux sur Duras, le voici qui me présente une étudiante qui fait une thèse sur elle et me donne un ancien article d'Isou (signé Claude Damiens) très favorable à Marguerite.

138

Dimanche 10 mai 1981

[Élection de François Mitterrand à la présidence de la République.] J'ai vécu cet événement chez Marguerite, avec Yann Andréa, Claude Brunel, Catherine et Anne Luthaud, Jean-Pierre Ceton et Patrick Bensard. Avant même d'arriver chez elle, je savais, par un coup de téléphone de Pierre Saddy qui a un ami au ministère de l'Intérieur, la victoire de Mitterrand. J'arrive le premier. Elle a à peine ouvert la porte que je lui annonce la nouvelle. Elle me regarde, interdite, puis se met à pleurer en me donnant des coups de poing : « Non, non, tu ne peux pas!... » comme si je plaisantais et voulais jouer avec ses nerfs. Elle ne veut pas y croire, n'ose pas y croire. Elle demande à Yann de lui passer Jean Daniel au téléphone, qui lui confirme la nouvelle. Et, quand la télévision annonce enfin le résultat, elle va à la fenêtre avec les roses que lui a apportées Claude et crie : « C'est Mitterrand! » aux rares personnes qui sont dans la rue Saint-Benoît – essentiellement deux flics qui gardent le bureau de vote d'en face. Puis cela ne suffit pas, elle veut manifester autrement sa joie : elle installe un lecteur de cassettes à la fenêtre et diffuse très fort le concerto « L'Empereur ». Elle m'embrasse.

Vers minuit, nous sortons pour aller à la Bastille où des dizaines de milliers de Parisiens ont afflué. Nous n'y arrivons pas, trop de monde – une cohue de voitures klaxonnantes, de jeunes gens manifestant leur joie. La pluie s'y met, puis l'orage, et c'est sous les éclairs que nous remontons les Champs-Élysées.

(Retour en arrière) Vers 18 h, une voiture me klaxonne : Marguerite et Yann. Ils me racontent qu'ils ont rencontré hier soir François Mitterrand dans leur rue. Il dînait seul, aux Jardins Saint-Benoît (car, m'explique Marguerite, c'est près du 36 rue Jacob, où habite sa maîtresse). Il paraissait détaché de l'élection, concédant seulement que cette fois « cela devrait aller », parlant du prénom de Yann (« c'est un prénom breton ») et souhaitant enfin que Marguerite et lui se revoient, « prennent un couscous ensemble ».

Jeudi 17 septembre 1981

Festival d'Hyères.

Rêvé hier que Marguerite et ma grand-mère étaient un seul et même être.

Impossible pourtant, dans la vie réelle, de lui dire un mot. Il y a deux ans, Robbe-Grillet m'avait baptisé « le Grand Prêtre du culte ». Il y a belle lurette, Dieu merci, que je ne suis plus Grand Prêtre de rien. Mais le culte perdure et s'étend. C'est maintenant l'affaire d'un chœur, d'une cour, d'une garde, d'un harem mixte – de tout un peuple de mouches. D'abord, les plus mouches de ces mouches, les assidus du sérail, jeunes gens pâles et dans la dévotion, Yann et Hervé [Le Masson] (le premier ayant rang de favori et prenant largement le pas sur l'autre puisqu'il cohabite avec la Divinité). Puis, plus indépendant, le couple synthétique Absis et Bernard Sarrut. Puis Claude [Brunel] et Jean-Paul [Dupuis], Marcel [Mazé], Jean-Pierre [Ceton] et, parfois, moi – tout de même plus distants. Enfin, quelques jeunes personnes de passage, renouvelées chaque jour, généralement tremblantes d'extase et dont Marguerite se laisse approcher avec délectation dès potron-minet.

« J'ai aimé dans le *Var matin* d'aujourd'hui qu'on me traite de "dingue" – pas de "folle", de "dingue" ! », l'ai-je entendu proférer ce midi. Et déjà, autour d'elle, résonnait un écho flatteur.

Lundi 21 septembre 1981

Devant l'aéroport de Toulon-Hyères : au loin, les légères fumées d'un incendie (on dit qu'un Canadair est passé) et, tout près, une femme agrippée à la portière d'une voiture, qui pleure et crie. Je dis : « C'est sa maison qui brûle ! » Marguerite et Michèle Levieux s'approchent, je reste à l'écart pour ne pas rajouter à l'obscénité de notre indiscrétion. À ce moment, elle se reculotte, elle urinait entre les deux portières. J'entends qu'elle dit : « J'ai perdu ma fille et mon fils. » Marguerite et M. L. reviennent, expliquent qu'elle est saoule, qu'elle ne sait pas où elle est. La femme se met à crier « Brigitte ! » en pleurant. J'observe alors à haute voix que c'est un personnage duras-sien, que Marguerite a le don de faire *apparaître* des êtres plus durassiens encore que ceux qu'elle invente. En réa-lité, elle n'invente pas.

Lundi 19 octobre 1981

Mitterrand aux États-Unis avec, dans sa suite, Mar-guerite, et dictant, de son avion, un éloge d'Albert

141

Cohen qui vient de mourir. Cela faisait un demi-siècle qu'un amateur de littérature n'avait pas gouverné la France. Je réalise d'ailleurs que la date de 1986, cinquantième anniversaire du gouvernement de Blum, trouvera place dans son septennat.

Mardi 29 décembre 1981

Jour triste, d'une tristesse accrue par ceci : le soir, j'ai invité chez moi Marguerite et une partie de la ribambelle habituelle des gens qui l'entourent. Et, comme a bien vu Outa, pendant près d'une heure avant leur départ, « je n'ai pas moufté ». Je me taisais, regardant mes hôtes l'un après l'autre et me demandant lequel ne m'insupportait pas. Et aucun, excepté Absis, n'a échappé à ce désabusement – pas même Marguerite, surtout pas elle, dont l'égoïsme ressassant me fatigue définitivement. C'est qu'il est à peu près impossible de lui parler – je veux dire d'individu à individu, ce qu'on appelle dialoguer. Il y a longtemps que j'ai cessé de le faire, si je l'ai jamais fait. Les relations humaines placées ainsi sous le signe d'un seul moi, qui brûle tout, prennent tôt ou tard l'aspect d'un infini désert. Et j'ai constaté hier ce désert, tout autour d'elle, en tout cas entre elle et moi.

Jeudi 31 décembre 1981

Et voilà qu'elle m'appelle au téléphone pour me remercier et m'embrasser, s'accusant d'être « une brute, quelque part ». Mais, ajoute-t-elle, « la tendresse remonte toujours ».

Mardi 5 janvier 1982

Et ce soir, un peu gris, j'appelle Marguerite comme j'aurais appelé ma mère.

Je lui écris ceci :

> Ma chère Marguerite,
>
> Moi, ce que je te souhaite *de plus fort,* c'est ceci : surprends tout le monde, y compris tes plus proches. Écris un texte que tu désires depuis longtemps écrire sans te l'être vraiment encore avoué, ET N'EN DIS RIEN et publie-le *à la surprise générale.*
>
> Comment puis-je, moi, oser te donner un conseil ? Ce n'est pas un conseil, c'est un vœu. Comme si on souhaitait que l'écrivain qu'on aime le plus soit aussi de loin le plus grand.
>
> Scandaliser ses proches, se scandaliser soi-même : c'est peut-être une façon absurde de passer le temps. J'imagine Racine écrivant *Les Chants de Maldoror* ou Flaubert *Le Coran.* Ce serait trop. Ce serait trop beau.
>
> Je t'embrasse affectueusement,
>
> Dominique

Dimanche 17 janvier 1982

Cette nuit, décidé à être désormais de plus en plus inflexible, sec, méchant (juste). Je fais une lettre à peine polie pour dire aux gens du Centre culturel canadien que je n'irai pas à leur raout pour Duras (qui devait primitivement avoir lieu chez les Québécois). Copie à icelle, aux Services culturels québécois et à Suzanne Lamy. Ces gens m'emmerdent : Duras parce qu'elle pue du *moi* (comme on pue de la gueule) et parce qu'elle ne m'a pas demandé de l'accompagner à Montréal (où j'ai tant fait, depuis des années, pour la faire connaître), les Québécois parce qu'ils auraient, dit-on, d'abord dit : « On s'en fout, elle n'est pas un écrivain québécois », les Canadiens parce qu'ils ont baisé les Québécois, la mère Lamy et ses deux frisés parce que ce sont des lavettes, vendues au plus offrant.

Mardi 19 janvier 1982

Le livre des Montréalais sur Marguerite a été imprimé par « les travailleurs de l'Atelier des Sourds » de Montréal. *Sic.*

Samedi 30 janvier 1982

Dans la bande vidéo d'Outa (et Jérôme Beaujour), *Duras filme*, Marguerite, via *Crainte et tremblement* de Kierkegaard, évoque Abraham sollicité par Dieu d'avoir à tuer son fils et obtempérant aussitôt comme un somnambule : « On est là, dit-elle, au plus près de ce qu'est le désir. »

Dimanche 11 avril 1982

Émission télévisée sur Ponge. La logique de la télévision : vous existez pendant soixante ans dans l'ombre, à petit feu, vous préparant à être célèbre. Enfin, vous êtes à point, bon pour la grande parade audiovisuelle : encore très présentable, vous faites tout à coup un beau vieillard célébrable. Du vieux qui n'a pas servi, du neuf qui a de la bouteille.

Ces braves écrivains (sauf Marguerite) finissent tous en Provence, dans une propriété avec cigales, soleil, etc.

Jeudi 16 septembre 1982

Je téléphone à Marguerite. « Je rebois », qu'elle me dit. « Du vin, mais quand même... » Comme je lui raconte une émission télévisée vulgaire et grotesque que j'ai vue sur Montherlant, sans arriver à la faire rire, elle : « Tu ne vas pas me faire lire Montherlant ! Ça, pas plus que Gide... » Elle termine, m'annonce-t-elle, un texte sur l'homosexualité : *La Maladie de la mort*. Bigre, quel titre ! Sans doute un règlement de compte avec Yann, mais où, apparemment, tout le monde trinque. J'imagine que cela va faire des vagues.

Vendredi 15 octobre 1982

Pour après la mort de Marguerite (si elle meurt avant moi), publier : *Tout ce que j'ai sur Marguerite (ou presque tout)* – bribes de journal, lettres, entretiens...

Envoyé ce mot à Marguerite :

Chère Marguerite,
En style télégraphique : bien reçu *Savannah Bay*, qui entre, sans l'ombre d'une hésitation de ma part, dans le meilleur de ton œuvre. Il n'y a même plus de ces tournures de style typiquement durassiennes qu'on trouvait encore dans les précédents textes : c'est transparent, simple comme l'air [1], anonyme, *universel*. C'est incriticable – ou bien l'on critiquerait mille ans de littérature, la langue même (notre pauvre langue, que même le président du Liban n'emploie plus à l'O.N.U., que les Nobel ignorent désormais...).

Il faut, paraît-il, que nous nous résignions à n'être plus qu'une minorité, petite langue, petite littérature. Toi, tu auras eu l'extrême chance d'être encore de la grande époque où notre universalité allait de soi. Les plus jeunes que moi, ils ne savent même pas de quoi il s'agit. Ils sont naturellement dans McDo et *Dallas*, comme les petits Noirs des colonies, naguère, étaient dans l'histoire de « leurs ancêtres les Gaulois ». Mais moi, mais ma génération, nous sommes beaux! La nostalgie de l'universalité et la réalité de l'insignifiance. Mitterrand, Lang, etc., n'y peuvent déjà plus rien.

Pardonne-moi, Marguerite, ce moment de franc-parler pessimiste. Je voulais te parler de toi. Mais *je t'ai parlé de toi* : tu vois bien que tu n'as pas eu le

---

1. Sauf l'idée du dédoublement du personnage pour essayer la robe : complication évitable, peut-être. *[Note figurant dans la lettre.]*

Nobel – qu'aucun Français ou francophone *ne l'aura plus.*

Je t'embrasse,

D.

Dimanche 5 décembre 1982

Chocolat et brioches chez Marie-Christine de Navacelle. Comme toujours, elle invite des gens qui ne se connaissent pas, qu'elle ne présente pas les uns aux autres et qui, la disposition des lieux aidant (ou plutôt n'aidant pas), ont toutes les peines du monde à communiquer. D'où, dès qu'elle est dans sa cuisine à préparer le goûter, des silences gênés ou des soliloques. Je mets plusieurs minutes à comprendre que l'un des convives silencieux est Raymond Depardon. Il y a là, outre lui, Marguerite, Marcel Mazé, Maurice Périsset, une femme de l'AFP et un inconnu. Cependant qu'on boit d'un exquis chocolat chaud sur lequel on dépose de la crème fraîche battue et dans lequel on trempe des petits fours ou des barquettes au citron, Marguerite met la conversation sur les nouveaux clochards apparus récemment dans nos villes. On se croirait dans un dessin de Sempé. Marguerite romantise tout cela : ces jeunes gens qui n'ont rien, pour ainsi dire « rendus à l'état sauvage », sont pour elle l'incarnation d'une extrême liberté, d'un « courage » qu'elle admire. Je proteste faiblement qu'il n'y a pas là de vrai choix mais, pour la plupart, un état subi. Puis me rencogne dans mon siège et bientôt pars, arguant d'un texte à finir. Rentrant chez moi, je me dis qu'il y aurait matière à un beau travail de psychologie comparée – introspection et micro-

147

sociologie associées – pour déterminer les raisons (enracinées dans l'enfance et le milieu social) qui expliquent, envers tous ces marginaux, l'enthousiasme de M. D. et, au contraire, mon malaise.

Lundi 13 décembre 1982

[Projection à l'Olympic Saint-Germain d'*En rachâchant*, film tiré par Jean-Marie Straub d'*Ah! Ernesto!* de Marguerite.] À la sortie, comme j'essaie de filer rapidement, je tombe sur Marguerite. Quel embarras, toujours, et là particulièrement : cette façon qu'elle a, à cause de son emphysème, de monter les escaliers par étapes et d'attendre, et il faut lui tenir compagnie, et tous les gens passent, la voient, disent « C'est Duras! » « Tu as vu Duras? », se retournant, et moi qui ne sais où me mettre, sorte de grande plante décorative embarrassée de ses feuilles auprès de ce petit bout de femme scintillant. Puis la Cour arrive et je ne sais jamais m'en dépêtrer à temps, je n'arrive pas à prendre congé, je pars en ayant l'air de fuir.

Mardi 1er février 1983

Dîner avec Pascal Gallet, Outa et Jérôme Beaujour à l'Hirondelle du Bois, près de chez Pascal, pour mettre au point notre projet d'entretiens avec Marguerite. À la table voisine, Jacques Laurent! Il prête drôlement l'oreille quand nous prononçons le nom de Duras.

Mars 1983

Pour le prochain numéro de la *Revue d'esthétique*, envoyé à Marguerite, ainsi qu'à une cinquantaine d'écrivains, cinéastes ou critiques, un questionnaire sur le thème : « Comment voyez-vous le cinéma en l'an 2000 ? » (« Le cinéma tel que nous le connaissons existera-t-il encore ? S'il continue d'exister, que deviendra-t-il techniquement ? Dans quels lieux le verra-t-on ? » etc.)

Mardi 8 mars 1983

Lettre de Marguerite :

Lundi 7 mars,

Cher Dominique,

J'ai reçu ton invitation à écrire à propos du cinéma de demain dans la *Revue d'esthétique*. Comme tu t'en doutes, je n'ai aucune idée sur ce point, mais aucune, et, de plus, profondément, cela m'indiffère de savoir à travers les réponses des techniciens ce que deviendr[ont] le cinéma et le monde.

Je suis moins « frappée » par les résultats d'hier que je ne devrais sans doute. Le P.S. (Mermaz et Jospin) avaient raison hier soir à mon avis : c'est la peur de l'insécurité et du manque à gagner – répandue comme une arme électorale n° 1 – qui fait cette effrayante unité fasciste de Paris. Je reprends ce mot après les informations du soir : si, c'est effrayant, il s'agit, en retour de 77 et de 81, d'un raz de marée – symétrique – tout comme si durant 5 ans le temps s'était aboli. C'est plus décourageant qu'effrayant, plus misérable que décourageant. Ce soir j'ai abandonné. J'ai envie de partir de Paris. Seul espoir mais très violent : que F. Mitterrand renvoie le P.C. Je considère que le P.C. avec la seule carte qui lui reste, la C.G.T., sabote le P.S. et cela très scientifiquement, très intelligemment. Le travail du P.C. dans les usines Citroën et Renault est parfait – si parfait qu'on se demande si au top niveau du P.S. ils le savent comme ils le devraient.

Bon, encore tu veux que je signe cette histoire de cinéma expérimental. Je ne signe pas. J'y crois moins qu'avant. Je veux dire que le sectarisme de ce cinéma insulaire est terrible, que les gens qui font ce cinéma sont pleins d'orgueil et d'amertume, que je n'ai plus envie d'aller à Hyères. Je t'embrasse très fort,

Marguerite

Mercredi 25 mai 1983

Après-midi à Neauphle puis sur les traces d'*India Song* (le Trianon Palace, le château Rothschild) pour les repérages de l'entretien vidéographié que nous allons entreprendre avec Marguerite. Cela faisait près de six mois que je ne l'avais revue. Elle a maigri, ressemble à ses photos d'il y a dix ans ou plus, la peau du visage simplement un peu plus frippée. Elle ne boit plus, est plus « fraîche », plus vive dans sa conversation, plus douce aussi (ou plutôt – car elle n'est jamais douce – moins brutale, moins tyranniquement égocentrique).

Ce soir, avec le magnétoscope que m'a laissé Pascal Gallet, je me repasse *India Song* et c'est toujours le même saisissement, le même bonheur, le même enthousiasme.

Vraiment son plus grand film, la convergence miraculeuse d'un tissu narratif et littéraire exceptionnel et de coups de génie cinématographiques. Après, il y aura d'autres textes très beaux, mais moins longtemps portés, moins riches d'humus autobiographique ; et des trouvailles cinématographiques, mais moins saisissantes et plus ressassantes.

Vendredi 27 mai 1983

Je vais à la Hune acheter le dernier numéro du *Nouveau Commerce*. Le vendeur me dit : « C'est pour l'article de Blanchot sur Duras ? » Je mets un point d'honneur à dire que c'est aussi pour Paulhan.

Lundi 30 mai 1983

Premier jour de tournage à Neauphle. Le soir, je rentre seul à Paris pour prendre du champ. C'est le premier beau jour d'été, ou presque. Il y a, dans l'air, je ne sais quoi de chaud, presque d'érotique.

Je voulais dire de *Nathalie Granger* : c'est la valorisation fétichiste d'une maison par quelqu'un qui n'en avait pas encore eu une vraiment à elle. Il faut voir sa fierté à écrire, dans la postface du livre : « Maintenant, elle appartient à l'auteur du film... »

N'empêche, Marguerite a été très bien dans ses réponses à mes questions – en particulier lorsqu'elle a dit qu'il n'y avait pas d'écrivain sans indignation, sans capacité d'indignation.

Mardi 31 mai 1983

Journée difficile, mais, somme toute, fructueuse. Marguerite commence par me faire une scène, disant qu'hier j'ai été trop « directif », ne l'ai pas laissée parler. (C'est vrai que j'avais préparé une série de questions précises ; quand elle n'y répondait pas ou battait la campagne, je l'y ramenais.) Je m'amende aisément, l'assurant que je ferai comme elle voudra – bref, acceptant, par admiration, de jouer le rôle d'une potiche. Ainsi fais-je, la laissant parler tout son saoul, n'intervenant surtout pas quand elle a des silences (car, je le comprends très vite, ils ne sont pas signes qu'elle a fini de parler, mais, au contraire, qu'elle réfléchit pour ajouter quelque chose). Le drôle c'est qu'à certains moments elle a *vraiment* fini : c'est elle, alors, qui doit me demander de lui poser la question suivante ! On ne peut être plus complaisant !

L'après-midi est pénible. Est-ce parce qu'on tourne en vidéo ? Des millions de francs de matériel, plus d'une demi-douzaine de techniciens, et des ennuis techniques à n'en plus finir, des heures de retard ! Mais, le soir venant, sous le mélèze du parc, je parle à Marguerite avec aisance et dans l'agrément réciproque. C'est-à-dire que, pour la première fois peut-être depuis toujours, j'arrive à lui parler et à lui répondre *et elle m'écoute.*

M. D., ce matin, comme j'attends les bras croisés que les moteurs tournent et qu'elle soit prête à parler : « T'es décidé à faire le Bouddha, toi ! »

Mercredi 1er juin 1983

En attendant qu'on soit en état de tourner, j'erre dans le jardin ou les pièces de la maison. Je m'approche de l'étang. De jeunes garçons pêchent. Ils me voient : « Eh, monsieur! Est-ce qu'on peut pêcher chez vous? »

Jeudi 2 juin 1983

Journée du *Camion*. Épique. Réussie. Pourtant, comment dialoguer avec quelqu'un qui commence par dire d'une de ses propres œuvres : « Ce film est complètement génial! »

M. D. mécontente de l'éclairage et du cadrage d'hier soir : « La vidéo, c'est terrible! Dès qu'on met un peu de rouge [à lèvres], c'est une boucherie! »

Vendredi 3 juin 1983

Marguerite, tout à l'heure, quand je partais : « Téléphonons-nous. Tu vas nous manquer, maintenant! » Moi, touché : « Tu me manques tout le temps. » J'ai pris alors conscience que je lui parlais comme à ma mère.

Samedi 4 juin 1983

Retour de Lille, très agréable dîner ce soir avec Bernard et Agnès Roué. Nous découvrons par hasard un fort bon restaurant basque près de la Porte Dorée. La femme du patron, qui sert avec entrain et compétence, à la fin se met au piano. Tout à fait un restaurant pour Marguerite. (Elle a aimé, dans le genre, le Beaunier, rue Beaunier, et un restaurant tout près de la gare de Lyon.)

Lundi 6 juin 1983

Gracieusetés du jour : Marguerite commence par dire que mes questions sont trop longues (elle veut sans doute qu'on la montre sans interruption à l'image). Puis elle me demande comment je fais pour avoir les dents « si noires » *(sic)*!

Mardi 7 juin 1983

Tournage au Château Rothschild.

Mercredi 8 juin 1983

Journée nerveusement épuisante. Quand j'arrive, à Neauphle, on me dit que Lonsdale n'est pas là, qu'il sera remplacé par... Ceton. Ce n'est pas du tout ce qui était convenu – nous avons pourtant assez mis au point ces détails depuis des mois, depuis le moment où Pascal m'a appris que j'étais le seul dont on retrouvait le nom à la fois sur la liste proposée par Marguerite et sur celle du Ministère, que j'avais donc la confiance des deux parties. En plus de mes entretiens avec elle, il n'était question, à la rigueur, que d'entretiens d'appoint avec ceux qui ont travaillé sur ses films. On me met une fois de plus dans la situation d'avoir à rappeler nos accords, de faire l'empê-cheur d'être filmé en rond.

Marguerite comprend vite et s'accommode d'un entre-tien avec Dominique Auvray. N'empêche, sauf vendredi, jamais un mot de gratitude ou même de politesse après les entretiens. Et cependant, tandis que nous parlons, elle sem-ble heureuse, en plein accord avec moi, au diapason de mes questions. Ou bien donc elle est ingrate *après*, ne voulant pas me manifester sa satisfaction, ou bien elle joue *pendant*, n'étant plus satisfaite de ma présence et ne le montrant pas.

L'autre jour, au palais Rothschild, elle a violemment insulté un gardien portugais qui lui rappelait une inter-diction de passer. Je crois sa capacité de mépriser les êtres assez colossale. Me méprise-t-elle, moi? Je ne sais si on peut aller jusque là – ou là *toujours*, car elle change volon-tiers d'humeur. Je crois simplement qu'elle ne m'aime pas. (Mais y a-t-il des êtres qu'elle aime?) Rarement, en tout cas, un être m'a fait mieux éprouver, dans ses tenants et aboutissants – regards, gestes, mots –, *l'enveloppement* de cette négativité : n'être pas aimé.

Et parmi les petites révélations du tournage : Outa, capable soudain de sympathie, de délicatesse même.

Cette femme pense à juste titre que c'est un honneur inouï de s'entretenir avec elle. Elle n'envisage pas une seconde, en revanche, l'extravagante hypothèse que cela soit *aussi* – que cela puisse un jour paraître *aussi* – un hon-neur, pour elle, d'avoir été interrogée par moi. (Fin de la minute d'orgueil.)

M. D., maternelle et haineuse, accueillante et négatrice.

Ce que tant désirent d'elle – qu'elle soit la mère *qui préfère*, la mère exclusive – peut se retourner : être le bon fils, celui qui ne demande rien.

Pendant ces entretiens, toujours un peu l'impression que ce n'est pas moi qu'elle voulait, qu'elle aurait préféré quelqu'un d'autre. Mais qui ? Yann ? Ceton ? Plutôt : *Elle-Même !*

PETIT SUPPLÉMENT
SUR LES ENTRETIENS FILMÉS DE 1983

(réalisé après coup à partir de souvenirs, de conversations avec des tiers, du revisionnement des cassettes vidéo et de la transcription exhaustive de la bande son enregistrée)

PREMIER JOUR – SUR *NATHALIE GRANGER*

On tourne dans la salle à manger du rez-de-chaussée dont la vaste fenêtre donne sur le jardin. Une caméra est installée dehors et viendra chercher nos visages en zoomant à travers la vitre. En attendant que les opérateurs et le preneur de son soient prêts, ce qui prend énormément de temps, Marguerite, qui porte un beau tricot de couleurs vives, s'évertue à déplacer ou à faire déplacer hors-champ, par Yann Andréa, Hervé Le Masson ou moi, des livres, un bouquet de fleurs séchées ou une lampe allumée que le responsable de l'image avait tenu à y faire figu-

156

rer. « Rien n'est plus difficile à imiter que le naturel »,
remarque-t-elle. Enfin on nous laisse entendre que ça sera
« quand on voudra ».

Avant même que j'aie pu dire ouf, elle attaque bille en
tête : « Je peux dire que j'ai fait *Nathalie Granger* à partir
de cette maison... » puis elle s'arrête. Aussitôt, j'en profite
pour lui poser une « question préliminaire ». Je lui
demande comment elle est venue au cinéma. Elle répond
que c'est parce que les films qu'on avait tirés de ses
romans ne lui plaisaient pas. « Avec *Dix heures et demie du
soir en été*[1], même avec *Le Marin de Gibraltar*[2], la trahison était totale. Ce n'était pas les acteurs qu'il fallait, ce
n'était pas le cadre, ce n'était pas la mise en scène qu'il fallait. Rien n'était bien... Avec René Clément[3], c'était
beaucoup plus perfide, beaucoup plus pénible. » Malgré la
séduction d'un cadre extrême-oriental et d'une distribution fastueuse (Silvana Mangano et Anthony Perkins),
Clément a fait un film « colonialiste », et donc commis
« la pire trahison ».

Surprise d'entendre Marguerite ex-Donnadieu – Française née d'une mère du Pas-de-Calais et d'un père du
Lot-et-Garonne dans l'Indochine de 1914, donc sur un
territoire alors français – me déclarer soudain : « Je suis
créole », puis me dire, pour désigner la France : « *Votre*
pays », comme si ce n'était pas le sien.

---

1. De Jules Dassin.
2. De Tony Richardson.
3. Pour *Barrage contre le Pacifique*.

Autre surprise : son rejet vigoureux de l'étiquette « féministe » (« dire que ce film est féministe, c'est une facilité, c'est faux »).

Elle accepte par contre tout à fait les expressions de « cinéaste de l'improvisation » et d'auteur de « films sauvages » que je lui propose. Le tournage, explique-t-elle, fait découvrir des tas de choses auxquelles on ne pensait pas au moment du scénario. « On fait toujours trop tôt les scripts. » (Les manuscrits remis à l'IMEC après sa mort, particulièrement ceux qui correspondent à *India Song* et qui sont pleins de notations de différentes couleurs prouvent cependant que certains de ses tournages étaient soigneusement et minutieusement préparés.)

Sa comparaison entre Lucia Bosè et Jeanne Moreau : ayant à improviser le « desservice » d'une table après le repas, la première est empotée, ne sait que faire des miettes de pain (« elle se trompe, ce n'est pas avec les serviettes qu'on ramasse les miettes »), retourne dans la cuisine avec seulement deux verres et une tasse, tandis que la seconde, qui connaît la vie, elle, et qui est « une grande actrice », sait comment s'y prendre (« elle prend toutes les assiettes ensemble »)! De même, dans la scène du repassage, Bosè laisse trop longtemps le fer sur la robe repassée, au risque de la brûler. À croire que cette grande bourgeoise n'a de sa vie ni repassé ni desservi une table!

Parlant à la fois de Nathalie, petite fille bourgeoise renvoyée de l'école pour indiscipline, et des jeunes tueurs des Yvelines dont la cavale est répercutée tout au long du film par les bulletins radio, M. D. emploie le curieux – et marxistement peu orthodoxe – concept de « classe de la violence », d'une violence qui ne dépend ni du niveau social, ni du niveau d'instruction, ni de l'amour reçu ou non des parents. « C'est vraiment la nature même de l'enfance et de la jeunesse dans sa confrontation avec la société moderne qui crée cette violence que rien ne peut endiguer. » Elle pense manifestement ici à sa propre enfance, à l'injustice dont sa mère a été victime en Indochine, à son frère aîné. Mais, en joignant cela à l'obsession de la banlieue dont témoigneront ensuite *Le Camion* ou le cycle d'Ernesto (*Les Enfants*, *La Pluie d'été*), on pourrait aussi penser [aujourd'hui, en 1997] qu'elle prophétisait dès alors la révolte des banlieues et les effets pervers de la « fracture sociale ».

Grand débat sur la scène où Jeanne Moreau et Lucia Bosè répètent de façon lancinante à Gérard Depardieu – dont c'est d'ailleurs l'un des premiers rôles au cinéma : « Vous n'êtes pas voyageur de commerce ! » Comme elles sont assises, très calmes, le laissant peu à peu trébucher dans ses réponses et s'angoisser, je parle d'une sorte de comparution devant un tribunal. Par ailleurs, considérant ce que veut *littéralement* dire cette phrase et aussi, dans le film même, la réaction de Depardieu qui tente de se justifier en sortant une carte professionnelle, je l'interprète comme l'insinuation par les deux femmes qu'il est un *faux* représentant, une sorte d'escroc qui s'introduit dans les maisons pour on ne sait quelles inavouables raisons. Pas du tout, dit Marguerite. Elles ne s'en prennent qu'à sa façon de trop bien coïncider avec son personnage social.

En quelque sorte, elles ne le mettent pas en doute mais en question. Il « n'est pas un voyageur de commerce », parce que ça n'existe pas, les voyageurs de commerce, pas plus qu'aucun autre métier. C'est une simple apparence sociale ; l'être véritable est en dessous, ailleurs. « Vous n'êtes pas voyageur de commerce. Vous êtes au-delà ! » Amusant, quand on connaît l'antipathie professée par Marguerite à l'égard de Sartre : cela rejoint exactement la fameuse analyse de *L'Être et le Néant* sur le garçon de café !

Quand j'interrogerai Depardieu, plus tard, il confirmera que c'est bien comme elle me le dit que Marguerite lui a fait jouer la scène : les deux femmes l'écoutent « comme des frères, si j'ose dire », mais pour l'amener à cette « grande violence d'essayer de se déconnecter totalement de ce qu'on croit être ».

Il ajoutera – et cela ne mérite-t-il pas de figurer aussi au chapitre de la violence, du moins d'une certaine énergie coercitive ? – qu'elle ne l'avait pas laissé libre d'interpréter le rôle à sa guise : « Elle m'a orienté et elle a orienté tout le monde », l'équipe, le film, « même l'image ». Parce que « quand on tourne avec Marguerite, on est totalement sous une emprise. Ce n'est pas une direction, c'est un état d'âme, c'est une autre forme de... comment dire ? d'action, et beaucoup plus violente... » Cela rejoint ce que Philippe Sollers me dit en avril 1997 sur ce qu'il appelle la « gourouterie » de Marguerite Duras, sur cet « hypnotisme » aussi qui lui paraît caractériser son style.

« Je me suis senti, dans *Nathalie Granger*, autant femme que les deux hommes qui m'interrogeaient », me déclarera aussi Depardieu avec une intelligence de la situation, une finesse d'intuition pas si fréquentes chez les acteurs.

« Un écrivain n'a pas d'histoire », dit-elle, en parlant d'elle. « Ou bien j'ai des histoires dans l'écriture, mais je n'ai pas d'histoire à proprement parler. Je n'ai pas de moteur extérieur à moi. »

Un peu plus tard, monologuant devant Kathy, la photographe (alors que le magnétophone continue à tourner), elle marque de la façon la plus nette la supériorité qu'elle accorde – qu'elle a toujours accordée – à la littérature sur le cinéma : « C'est une vulgarité de sortir de l'écriture. Il n'y a pas à faire subir à l'écriture ce que le cinéma lui fait subir. Pas une fois je n'ai mis en parallèle l'écriture et le cinéma. La plénitude de l'écriture est définitive. Absolue. Elle ne sera jamais mise en doute par le cinéma. » Elle ajoute très joliment qu'elle a cependant dû « donner [ses] livres à manger au cinéma » : « J'étais tellement sollicitée que je n'ai pu éviter ça. Et j'y ai pris goût maintenant : je suis un peu cinéaste. »

DEUXIÈME JOUR – SUR *INDIA SONG*

À l'origine d'*India Song*, il y a trois livres : principalement *Le Ravissement de Lol V. Stein* et *Le Vice-consul*. Qu'elle les ait écrits « dans la même année », ces deux-là, Marguerite n'en revient pas. « Il faut le faire, quand même ! » (Elle rit.) (Le troisième livre est *L'Amour*, un de ses plus abstraits.)

Mais elle explique qu'*India Song* vient de plus loin : de son enfance. Elle avait huit ans, elle voyait de loin, à travers les grilles du parc de l'Administration générale ou

161

passant en auto, le soir, une femme qu'elle a appelée ensuite Anne-Marie Stretter. Cette femme la fascinait comme une figure maternelle « infiniment plus importante » que sa propre mère, peut-être parce qu'elle arrivait de son poste précédent, au Laos, auréolée de mort : un jeune homme s'était suicidé pour elle. Dans l'œuvre, Anne-Marie Stretter va aussi jouer ce rôle de « donneuse de mort » dans l'épisode du bal d'S. Thala (*Le Ravissement de Lol V. Stein*). Puis elle part « pour aller faire le mal ailleurs » : « Ce qu'elle ne peut pas éviter. C'est comme un écrivain! Ça fait du mal, un écrivain! C'est intenable! »

À ce moment de l'entretien, j'évoque la formidable conférence de presse qu'elle avait donnée à Cannes en 1975 après *India Song*. Et Marguerite m'apprend qu'il n'en existe plus aucune trace. Les gens du festival manquaient de bandes, alors ils enregistraient, puis le reponsable, « un beau jeune homme suisse », en effaçait certaines. Elle, Duras, peu de gens la connaissaient, ou seulement comme dialoguiste d'*Hiroshima mon amour*. Alors, il a effacé, le petit crétin. Dans un sursaut d'espoir, sachant que j'y avais assisté et que j'aurais pu avoir eu un magnétophone avec moi, elle me demande : « Vous ne l'avez pas, vous, la bande? » Hélas, non. Pas de bande. Seulement ma mémoire, qui me rappelait une grande frustration : c'est le personnage du Vice-consul, fou d'amour jusqu'à crier, qui m'avait bouleversé; or elle n'avait parlé que d'Anne-Marie Stretter.

Commentaire de Duras sur le sujet près de dix ans après cette conférence perdue : « Anne-Marie Stretter et le Vice-consul, c'est les mêmes gens. » Sauf que le Vice-consul est dans une certaine innocence, comme un enfant ou « comme un très jeune amant », alors qu'elle, la femme de l'ambassadeur, elle sait, elle connaît l'invivable de la passion, « l'impossible de la vie ».

Alors moi, curieux, comme tant de lecteurs ou spectateurs, de la nature autobiographique ou non des œuvres, de mobiliser Flaubert pour tenter d'en savoir plus... et de recevoir la réponse la plus extraordinaire en même temps que la plus absolue qu'on ait jamais reçue d'un auteur :

— Diriez-vous, comme l'autre : « Le Vice-consul, c'est moi ? »
— Moi, c'est tout ! »

Et de préciser :

Moi, c'est Calcutta, c'est la Mendiante. Tout. C'est le Mékong, c'est le poste. Tout Calcutta. Tout le quartier blanc. Toute la colonie, toute cette poubelle de toutes les colonies, c'est moi !

Au passage elle indique comment, concrètement, elle s'est assimilée, effectivement, à cette Mendiante qui, au tout début du tournage, n'existait qu'à l'état de voix enregistrée (la voix laotienne qui crie « Savannaket ! »). Elle a voulu lui donner l'apparence d'une ombre qu'on voit glisser sur un escalier : et, autant qu'elle se souvienne, c'est elle, Duras, qui, « très maigre à ce moment-là », est passée devant une source lumineuse pour faire l'ombre enregistrée par la caméra.

Démiurgique, mais modeste, aussi, comme on voit. Paradoxale. Un peu à la façon dont cette femme qui co-signera un livre sur l'empire colonial français, publié par

Gallimard en mai 1940, tient à me dire que dans ce poste d'Indochine, où sévissait « le colonialisme sous sa forme la plus caricaturale », elle avait eu cette « chance », à cause de la « profession limite » de sa mère, d'être « reléguée au rang des indigènes ». N'en rajoute-t-elle pas sur le déclassement ? (Sa mère était blanche, directrice d'école, tout de même !) En tout cas, elle va jusqu'à me soutenir que « c'est pour ça » qu'elle a pu écrire. « C'est une très grande force chez un enfant, cette liberté que donne la pauvreté. »

TROISIÈME JOUR – SUR *SON NOM DE VENISE*
DANS CALCUTTA DÉSERT

Ce jour-là, il fait très beau, nous tournons dans le jardin, assis autour d'une table en fer. Et arrive un moment de pure jubilation, d'imagination presque délirante, quand nous évoquons ce qu'on pourrait appeler le travail du négatif.

Marguerite commence par me dire que « si elle est quelque part », c'est dans l'« incongruité énorme » de ce film, *Son nom de Venise*, né de la destruction (on pourrait presque dire, derridiennement, de la *déconstruction*) d'un autre. « Dans ce pari que je prends contre moi-même. De déplaire. » À Benoît Jacquot qui lui reprochait de « passer sa vie à détruire ce qu'elle fait », elle dit avoir répondu : Mais que faire d'autre ? passer sa vie à s'imiter ? c'est ne rien faire. « On ne peut rien faire sans, au préalable, enlever ce qui était fait. Sans nier. »

J'essaie alors de lui faire préciser le genre de négation dont il s'agit. Plus qu'une négation totale, n'est-ce pas un

164

« retour sur », une façon de ne pas vouloir quitter quelque chose qu'on a fait? Elle répond qu'elle a moins voulu « revenir sur » que « bâtir sur » : *Son nom de Venise* est une « énorme construction de la destruction – construite, et comment! »

« Une négation radicale, au contraire, dis-je, ça serait... — De me tuer? m'interrompt-elle. — Non, de passer à vraiment tout autre chose. — Ou de ne plus faire de cinéma, imagine-t-elle. Faire la difficile, tout à fait. Tout à fait, tout à fait. Tout à coup. Dire ah non, c'est fini! » Elle a dit ces derniers mots presque comme une comptine, dans une grande gaieté. Encouragé par sa bonne humeur, je me mets à évoquer une hypothèse saugrenue : « Ou faire un western! » Et pendant plusieurs minutes nous allons dans le fou rire imaginer ce que pourrait être un western tourné par Marguerite Duras :

« Je ne saurais pas. Mettez-vous ça dans la tête. Vous me donneriez un milliard et un... comment dit-on? un *casting* excellent, je ne saurais pas m'en servir. Je ne saurais même pas diriger les comédiens. Tout d'un coup on s'éterniserait sur un plan qui devrait être très rapide. ...Vous savez comment ils apprennent la vérité, les acteurs, dans les films policiers? En une seconde. Puis ils prennent des décisions en quelques secondes aussi. Eh bien, chez moi, ça prendrait une demi-heure!

— Oui, et l'inverse, peut-être : c'est-à-dire que les choses qui sont très longues dans les westerns seraient expédiées!

— Mais oui! Puis il y aurait des explications entre les gens. Je ne me vois pas diriger une bataille ou un combat de boxe. Ce serait ça, le corps du film : ils s'expliqueraient *interminablement* sur le meurtre du shérif! »

Après le jeu du western, il y eut le jeu du *Camion*. On décida de tourner l'entretien dans le grenier aménagé de la maison de Neauphle, là même, et à la même table, où, six ans plus tôt, elle avait tourné pour le film éponyme son long dialogue avec Depardieu.

La mise en place fut assez drôle et même épique. Et tellement révélatrice : au début, Marguerite veut être assise à tel ou tel endroit pour être dans l'axe de telle ou telle caméra, ce qui fait que, pour ne pas la masquer, je dois me déplacer de plus en plus loin d'elle, jusqu'à être carrément bouté hors de la table et du cadre de toutes les caméras ! Je poserai les questions *off*, en quelque sorte ! Apparemment, ce qui était possible avec Depardieu (et Bruno Nuytten comme chef opérateur) ne l'est plus pour moi, ici, avec cette équipe. Finalement, on se rend compte qu'un dialogue à une seule personne serait assez cocasse et, en déplaçant la table, on trouve une solution. Je rentre dans le champ.

Mais alors commence l'épisode des coussins, qui dure deux ou trois bonnes minutes : Marguerite est trop basse, elle demande un coussin. On le lui apporte, on le place sous ses fesses : la voici trop haute. Elle le retire. Je lui parle un peu de ce que nous allons nous dire. Elle ne répond pas, demande à quelqu'un tout là-bas si elle est raccord, « par rapport à la table », avec le précédent cadre. « Je suis trop basse ? » interroge-t-elle deux fois avec inquiétude. On ne la dément pas. Alors elle redemande le coussin. Enfin, elle est assise, et je lui pose ma première question sur *Le Camion*. Elle m'interrompt : « On va reprendre ! » En effet, il y a justement dehors... un camion qui passe !

Sur la Dame du *Camion* : « Vous vous demandez si c'est moi, cette femme ? » Je lui réponds : « Je n'allais pas vous le demander tout de suite. J'allais prendre quelques précautions ! » Alors, elle confirme : « La description physique de cette femme correspond à la mienne. Je la vois comme moi. C'est la seule fois où ça me soit arrivé, dans la littérature ou dans le cinéma. Je me suis vue. Avec cette valise. La banalité. J'ai pensé à moi. »

Très vite, à propos du fameux leitmotiv de la Dame du *Camion* – « Que le monde aille à sa perte ! » –, je me rends compte que, comme pour le « Vous n'êtes pas représentant de commerce » de *Nathalie Granger*, Marguerite entend quelque chose de précis qui n'a que peu à voir avec ce qu'indique le sens littéral. Contrairement à ce que je croyais (et que croyaient, il faut bien l'avouer, la plupart des lecteurs et spectateurs, et des critiques, en 1977), cette phrase n'est pas la marque de l'exécration, d'une résignation exaspérée, d'un profond pessimisme, voire d'un certain nihilisme – une sorte d'« Après moi, le Déluge ! ». C'est « le mot de la bonté ». « Le monde est perdu. Ça n'a pas marché. C'est fini (je l'espère). Et ce basculement du monde dans l'horreur, dans la misère – jamais on n'est autant mort de faim –, il faut le rejoindre. On n'est pas contemporains de notre monde. Si vous voulez, il faudrait une catastrophe qui égalise tout ça. (...) La seule façon de sortir de cette honte dans laquelle nous sommes, c'est de la rejoindre. Mais pas de façon messianique et mécanique.

De façon cosmique : que ça change. Que la perdition se répande partout. »

Autrement dit, la « perte » durassienne n'est pas le malheur ou la mort, mais un écoulement (comme au sens menstruel), une confusion liquide, un gigantesque brassage. Quelque chose, en outre, que l'on doive *rejoindre* : « La perte du monde, c'est que le monde se répande, c'est que l'égalité se répande, que le sort commun devienne vraiment commun. Qu'il n'y ait plus cette tentative d'économie sordide de l'oligarchie financière mondiale. » [Autrement dit – pourrait-on dire aujourd'hui, en 2000 – une mondialisation de la misère partagée qui s'opposerait à la mondialisation inique du capitalisme débridé, une mondialisation qui comprendrait sans doute encore « des injustices » mais « moindres » que l'actuelle.]

Espérance en un « moindre mal ». Ni pessimisme, ni optimisme. Car « la malfaisance de l'homme est là, incurable ».

L'entretien, qui roulait sur le sort du monde et la grande politique (il y avait eu un long développement sur Mitterrand, en qui Marguerite Duras plaçait un certain nombre d'espoirs), s'était tenu à un haut niveau et avait été un des plus passionnants et, pour moi, des plus épuisants de la série. Pour la première fois il y avait eu, presque physiquement perceptible, le sentiment d'une pensée relativement nouvelle en train de s'élaborer, et j'avais senti entre nous une vraie connivence.

Cela dit, l'entretien n'avait pas manqué de gaieté. Preuve, le « jeu du *Camion* ». Au début, je n'avais pas bien compris où Marguerite voulait en venir. Il s'agissait de ce

fameux conditionnel que je dirais « de création » employé
par les enfants qui jouent ou qui se racontent des histoires
et qu'elle employait avec Depardieu dans le film. Mais j'ai
cru d'abord qu'elle voulait me faire rejouer le film. Non,
elle voulait qu'on joue, tout simplement – qu'on impro-
vise en quelque sorte un nouvel épisode. Me faisant le
plus durassien possible pour être à son diapason (durassien parfois tendance *India Song* plus que tendance
Camion), j'avais finalement à peu près tenu ma partie.
Cela avait donné ceci :

M. D. : Ça aurait été une route. Une vieille femme
serait là.
D. N. : Ce serait le matin ?
M. D. : Oui, peu avant midi.
D. N. : Alors ce ne serait pas bleu ?
M. D. : Si, c'est bleu encore, c'est le cœur de l'hiver.
C'est janvier.
D. N. : Cette lumière de crépuscule ?
M. D. : C'est la lumière de janvier dans les Yvelines.
C'est la lumière quotidienne.
D. N. : La route est totalement déserte ?
M. D. : La route est droite, elle passe entre des bois. Et,
à travers les bois, on voit la mer. On voit toujours la mer.
De partout.
Etc.

(Je m'avise que cette mer si peu vraisemblable, visible
des Yvelines et « de partout, toujours », intéresserait les
psychanalystes – du moins ces psychnalystes de deux sous
que nous sommes quand nous jouons sur l'homophonie
de « mer » et de « mère ». De fait, dans l'œuvre de Duras,
la mèr(e) n'est jamais loin...)

Rien de particulier ne surnage pour moi de cet entretien-là, sinon le moment où Marguerite, prenant le volume des *Œuvres* de Racine que j'ai apporté avec moi, lit la fameuse tirade de l'acte IV de *Bérénice*

Que le jour recommence et que le jour finisse,
Sans que jamais Titus puisse voir Bérénice,
Sans que de tout le jour je puisse voir Titus!

d'abord à sa manière, en insistant sur le sens, puis comme on la déclame, selon elle, « au théâtre » : « Alors, commente-t-elle, on n'entend plus. On n'entend que le balancement de la phrase et les mots sont perdus. »

Sur les arbres, les oiseaux et son fils

Sa présence au monde. D'abord, dans son jardin (et ailleurs, à d'autres moments), elle nommait toujours précisément chaque arbre, chaque fleur («un hêtre», «ce tilleul», «les rhododendrons »), se plaignant de ce que les jeunes d'aujourd'hui – nous! – ne sachions plus le faire. De ses arbres, elle connaissait d'ailleurs tous les hôtes, repérant par exemple tel ou tel volatile à son cri. Ainsi, le troisième jour, tandis que, filmés dehors, nous étions en train de comparer gravement la fin de *Son nom de Venise* avec celle d'*India Song*, elle observe soudain : « Il y a un oiseau tenace, là-haut. Un oiseau obstiné. Il est là tout le

170

temps. Dès le mois d'avril, il est là. Et il tient jusqu'en octobre. »

Cela dit, son oiseau favori, c'était son fils, Outa. À la fin de l'entretien principal sur *Le Camion*, elle qui pouvait être si dure avec lui, si harcelante, s'interroge à voix haute : « J'espère que mon fils est content. Mon trésor, là. »

Dimanche 12 juin 1983

Vaghe stelle dell'Orsa de Visconti à la télévision. C'est sur ce film que j'ai fait ma première critique publiée dans la *NRF*. Film magnifique ; c'est le même bouleversement à le revoir. Peut-être le plus beau film de Visconti. Perfection du noir et blanc. Et je ne m'étais même pas rendu compte que c'était l'*Orestie* – l'histoire d'Oreste et Électre ! M. D. qui croit qu'*Agatha* est le premier film d'inceste !

Lundi 13 juin 1983

Cette nuit, vers 6 h 30, cauchemar. Le voici comme je le note sur-le-champ avant de le recopier à la machine pour Marguerite :

Tournage des entretiens avec Marguerite à Trouville (?). On nous fait changer et rechanger de place, attendre. Marguerite vient, repart, j'attends. Nous sommes dans l'eau (jusqu'à la poitrine). L'équipe est invisible, comme disparue, depuis longtemps. M. repart vers la mer (à la nage ?), me laisse entendre qu'elle va chercher un jeu de cartes que lui a donné Cocteau. Nous avons encore à parler de « quatre courts métrages », je prépare mentalement mes questions. L'eau monte et la nuit vient. À un moment, le jeu de cartes est là. J'attends toujours. La nuit est complètement tombée; eau jusqu'au menton, j'ai froid. La mer est maintenant démontée, dangereuse, il fait noir, je crie. Il n'y a vraiment plus personne nulle part. Je saisis tant bien que mal les cartes à tâtons et nage désespérément vers la côte. J'atteins le bord difficilement, en pleurs, cours dans la nuit, croise des gens qui courent dans la tempête. Je cherche quelqu'un à qui crier que je ne sais plus où est Marguerite, qu'elle a peut-être disparu. Enfin, je vois dans un coin, à l'abri, un petit cercle de gens. L'équipe (?) est là, tranquillement. Je ne vois pas d'abord que M. est là aussi, comme ayant été trempée mais à demi séchée déjà, dans des vêtements à la fois sombres et délavés, avec un chapeau bleu comme ma grand-mère. Je m'effondre. Réveil.

Samedi 18 juin 1983

Marguerite vient d'avoir le Grand Prix du théâtre décerné par l'Académie française. Je lui téléphone à Trouville pour la féliciter. « Attention, plaisanté-je, tu es sur une mauvaise pente ! — Pourquoi ? — La prochaine fois, ils t'éliront ! — Ce que je vois de plus clair à cela, me dit-elle, c'est qu'on me donne trois millions. » (Elle parle toujours en anciens francs.) Mais aussitôt de se demander à haute voix pourquoi Michel Mohrt, Grand Prix de littérature, en touche dix ! Sur nos entretiens, elle me dit simplement que « les petits [c'est-à-dire Outa et Jérôme] sont en train de dépioter tout ça ». Sur le rêve que je lui avais décrit et sur le reste, communication comme toujours impossible.

Mercredi 23 novembre 1983

Les voix dans *India Song* : à la fois celles d'un chœur invisible qui commente ce qui a lieu devant nous et celles des partenaires du *Camion* qui jouent au conditionnel passé des enfants (« ce serait... », « il y aurait eu... », etc.). Entre commentaire explicatif et énoncé performatif. Duras reste sur la frontière qui sépare deux postures d'auteur : l'antique, qui *feint* de raconter des *faits*; la moderne, qui avoue qu'elle invente.

Jeudi 29 décembre 1983

De Tokyo, j'écris ceci à Marguerite et Yann :

Chère Marguerite et cher Yann,
Je vous écris à tous les deux ensemble car je viens de lire *M. D.* Je suis venu au Japon me précipiter dans un piège imbécile – un de ces pièges qui s'ouvrent d'ailleurs aussi bien à Carpentras ou... Nevers qu'à Hiroshima. C'est toujours pour moi aussi insupportable. Je savais depuis longtemps que dans certains états d'arrachement de la peau à vif, où il faut ne plus bouger, rien n'aide à rien, surtout pas un livre. Aucun livre? *M. D.*, je l'ai éprouvé, l'éprouve encore à l'instant même, est un de ces rares livres pour temps de brûlure. C'est un livre de reclus, de naufragés qui se sauvent, et qui

aident les autres à se sauver. Merci de l'accalmie qu'il apporte, de la solitude royale et salvatrice qu'il installe, qu'il *offre*. Je ne peux en dire plus avec les mots. Mon histoire ne concerne que moi, n'intéresse *personne* – sauf vous sur ce point. Je n'en parlerai jamais plus, sinon par cet ex-voto dérisoire.

Je vous embrasse,

Dominique

Marguerite et Yann. Au début, très franchement, j'étais sûr qu'elle jouait, qu'elle faisait les *gestes* de la passion. La grimace, comme dirait Pascal. Cela a réussi comme une greffe *[ou la méthode Coué[1]]*. Une passion a fini par exister.

Dimanche 22 janvier 1984

Entretiens de Marguerite avec Delphine Seyrig et Michael Lonsdale sur *India Song*. Élocution hésitante, presque aphasie des acteurs, dans la vie courante : je l'ai souvent observé. Comme s'ils étaient devenus acteurs pour trouver une rigueur, une rigidité de parole – un tuteur – qui leur manque naturellement. Ou comme s'ils s'étaient faits maladroits, bégayants, *vides*, pour mieux accueillir la parole des autres, en être remplis, et mieux lui donner voix et chair.

---

1. Ajout du 12 septembre 1996.

Lundi 23 janvier 1984

Est-ce à force de travailler sur Marguerite, ou d'avoir pleuré sur M. dont j'ai trouvé un message sur mon répondeur, ou d'avoir bu du cognac et de l'« eau de mer » avec Pascal, Outa, Jérôme et Jean-Louis? Mais ce soir, j'ai les yeux *verts*!...

Mardi 24 janvier 1984

Écrit à Marguerite une lettre de mise au point pour répondre à ses extravagants propos téléphoniques sur l'affaire Ceton. Je termine en lui rappelant que ce n'est pas moi qui ai demandé à faire des entretiens avec elle. « J'ai accepté *et j'ai été très honoré* (souvent très heureux) de les faire – mais cette acceptation, où il entre plus d'abnégation que tu sembles le penser, ne va pas jusqu'à l'acceptation de contre-vérités qui sont bien près d'être insultantes. De toi, étant donné ce que tu es, je suis prêt à accepter beaucoup sans broncher; mais de moi, en retour, accepte au moins cette mise au point. »

Samedi 11 février 1984

Dîner chez Jean-Louis Jacquet. Sur la plaque d'entrée, deux noms : le sien et celui de Lagrolet. Je comprends alors qu'il était l'ami de cet homme que Marguerite aimait beaucoup – juif, peut-être, biarrot, riche. Comme tous les autres invités sont partis, il me dit que ce que Marguerite me reproche, c'est de ne pas aimer *La Maladie de la mort*, d'en être « choqué », même. (Je ne sache pas avoir jamais dit moi-même une chose pareille à Marguerite. Quelqu'un, Ester, peut-être, lui aura rapporté des propos qu'elle a mal compris. Mais, avec Ester, nous avions parlé du livre avant qu'il paraisse, et sur la seule foi de ce qu'en disait M. D. – ou de la rumeur : ce serait un pamphlet contre l'homosexualité, un règlement de comptes avec Yann. En fait, le livre fini est si abstrait que cela ne paraît plus. Preuve, les « contresens » de Jean-François Josselin ou même de Blanchot. Mais ce ne sont pas des contresens : ce sont d'autres lectures, légitimes. Non, *La Maladie de la mort* ne me choque pas.)

Dimanche 12 février 1984

Relu, du coup, *La Maladie de la mort*. Beau texte lisse, à une ou deux fautes de français près (p. 8 : « tenter connaître ça » ; p. 19 : « vous ne sauriez jamais rien (...) de comment elle voit, de comment elle pense »). Ce qui m'émeut soudain, c'est cette aptitude qu'elle y montre à s'imaginer elle-même vue – non désirée – par un homme, vue *étrangère* (p. 30), à la fois jeune femme féminine (« cette forme imberbe sans accidents musculaires, *etc.* » : belle définition de la féminité, p. 8) et mère (dernière page). C'est bien un livre contre les homosexuels (« eux », p. 16, première ligne ; « c'est curieux un mort », p. 35 et p. 45), mais qui accrédite, qui *met en scène* le complexe d'Œdipe : la jeune mère séduisante et cependant respectée, intouchée (le rapport même de Marguerite avec ses admirateurs).

Samedi 28 avril 1984

J'écris à Marguerite une lettre sincère d'apaisement.

1984 sans date

Le fascicule imprimé et illustré qui donne le texte de nos *Entretiens* et qui accompagnera les cassettes vidéo est prêt. La photo qui, sur épreuves, ouvrait le volume et où nous figurions tous deux a été remplacée, à la demande de Marguerite me dit-on, par une photo d'elle seule en gros plan. Plaisant. Auto-entretiens, en somme. Fille née sans mère.

Samedi 29 septembre 1984

Duras, hier, à *Apostrophes*, comme Pivot lui demande qui l'a interviewée pour les vidéocassettes des Relations extérieures, lâche : « Dominique Noguez », mais ajoute aussitôt, pour noyer le poisson, « Bruno Nuytten » et laisse planer un invisible « etc. » comme pour suggérer qu'il y en avait des tripotées.

Mercredi 17 avril 1985

Long rêve où je me « remettais » avec Marguerite, où elle oubliait ses rancœurs supposées, où nous nous promenions dans des campagnes agréables.

Au réveil, son existence m'est rappelée par la presse (on annonce un nouveau livre d'elle, *La Douleur*), par une lettre de François Rabaté aussi, qui me demande de lui demander un texte...

J'oubliais l'article sur ses films que m'a demandé Marc Saporta pour *L'Arc*. Dans le rêve, je trouvais les premières phrases de l'article : « Pas vu *La Musica*. *La Musica*, pas vu. »

Lundi 22 avril 1985

[Condensation ou oxymore?] Un étudiant chinois de mon séminaire, qui ne maîtrise pas encore très bien le français, me remet un projet de thèse : j'y lis à plusieurs reprises « Magritte Duras »... *[Acquinement pas si absurde, au demeurant. Un bon chercheur pourrait le justifier par d'excellentes raisons, trouverait des analogies : même proximité surréaliste, même goût de l'oxymore... La grande différence, ce serait l'humour, le côté pince-sans-rire, inégal chez les deux, c'est le moins qu'on puisse dire[1].]*

Dimanche 28 avril 1985

Je lis *La Douleur* de Marguerite. À un moment, je pleure. Il y a certaines lignes terribles qui font pleurer, comme au cinéma certaines répliques, certaines situations (à la fin de *Thé à la menthe*, le cri que pousse la mère en apercevant son fils). Cela ne se commande pas, ne se joue pas. L'écrivain ou le cinéaste atteint là quelque chose d'objectif, d'exceptionnel, de vrai, qui ne peut qu'ébranler dans les profondeurs.

---

1. Ajout du 28 décembre 1996.

Mercredi 22 mai 1985

Ce soir, Mme Duras a daigné me serrer la main. « Comment ça va ? » (ou « Ça va ? ») a-t-elle dit. C'était au Théâtre de la Bastille. Elle se trouvait sur le chemin des coulisses où l'on pouvait aller féliciter Carlos d'Alessio après son spectacle *Home Movies*. Toute la Cour était là, semblant guetter nos réactions. Je n'ai rien dit, rien fait de plus. Marguerite aura ainsi vu *directement* que, pour ma part, je ne lui suis en rien hostile.

Je retrouve, dans un vieux texte de moi (le début de *M & R*) écrit bien avant que je connaisse M. D. et aie lu la moindre ligne d'elle, le mot « blancheur », employé quasi durassiennement.

Samedi 25 mai 1985

Jusqu'à l'armée française qui affrète maintenant des appareils à noms anglais (un dirigeable intitulé *Skyship* !). Le même jour, Mitterrand inaugure *L'Inflexible*, sous-marin nucléaire. Ce mot de matamore, c'est à peu près tout ce qu'il reste d'« inflexible » dans ce pays. Dans cette « patrie de banlieue », comme dit Duras dans *Les Enfants*. Je suis sûr qu'elle dit cela sans amertume. Avec une certaine jubilation vacharde. Ça n'est plus son affaire. « *Votre* pays », comme elle m'a dit le premier jour de nos entretiens filmés, comme pour dire que ce n'était pas le sien. Elle préférait s'imaginer vietnamienne, pauvresse du Tiers Monde – elle, pourtant, fille de colonisateurs, aujourd'hui milliardaire ! Elle est comme les autres, elle ne croit plus en ce pays, si elle y a jamais cru : mais les autres par veulerie, elle par narcissisme. Elle est, pense-t-elle, au-dessus de *cela*, de cette communauté, de cette histoire. Elle est mondiale, nous ne sommes que français.

Lundi 12 août 1985

Cette nuit, rêvé à Marguerite, qui était un peu plus douce pour moi que dans la réalité.

Jeudi 21 novembre 1995

Vu à Porretta Terme le film tiré par Peter Handke de *La Maladie de la mort*. Ce n'est pas la « trahison » que disaient les critiques. Ces critiques n'ont rien lu, ne connaissent pas le texte. S'ils le connaissaient, ils verraient combien cette version est juste, durassienne (à la narcissique fin près, où Handke parade sur une plage en commentant – mais non : ce narcissisme même vient de Duras, contagieuse...). *La Maladie de la mort* est l'œuvre la moins métaphorique qui soit, la plus littérale – la plus calquée sur l'essentiel. C'est l'effort d'une femme – amante et mère à la fois, prostituée sacrée – pour *désapeurer* un jeune homme et lui permettre de « connaître la femme », de quitter cette peur ou simplement cette inhabitude de la différence qui l'a limité jusqu'ici. Là où l'œuvre perd – perd de sa générosité absolue –, c'est quand elle devient polémique, vengeresse, cruelle – quand Marguerite règle ses comptes avec Yann, voire avec tous les homosexuels, voire avec tous les hommes, et semble mettre la « maladie de la mort » dans le simple fait de ne pas être femme, donneuse de vie. L'inverse peut pourtant s'éprouver aussi. Il pourrait y avoir une *Maladie de la mort* écrite par un homme et offerte aux femmes (ou aux jeunes gens) qui ignorent les hommes (et ne donnent pas plus la vie).

Ce qui grève un tout petit peu le film de Handke, si beau, pourtant, c'est peut-être une certaine façon de vouloir être français, donc clair – et d'en rajouter sur les éclaircissements (images métaphoriques du sexe féminin, commentaire final). Aussi : c'est presque trop bien léché – mais la tendance spontanée de Handke au dépouillement, sa tournure d'esprit *japonaise* l'empêchent ici d'aller trop loin.

Vendredi 3 janvier 1986

À 15 h, Jérôme Lindon m'appelle : « Je suis en train de lire votre manuscrit et j'ai une question à vous poser : accepteriez-vous de publier le dernier texte [*Les Trois Rimbaud*] tout seul ? » Il me parle évidemment du caractère « éclectique » de l'ensemble, me dit que « les textes ne s'ajoutent pas les uns aux autres, ils se soustraient » (et donne l'exemple, d'ailleurs, de *La Douleur* de Marguerite : « Personne, dit-il n'a parlé du dernier texte, et tant mieux ! »).

Son dernier appel est très encourageant. Il en vient à me parler de Marguerite (qui fit un sacrifice du même genre, sur son conseil, en abandonnant des parties entières de *La Photographie absolue* pour en faire *L'Amant*).

Mardi 14 janvier 1986

Contrat signé avec Lindon. Premier tirage : 2 000 exemplaires. Sortie prévue... le 1er avril. Aucun à-valoir. Droits d'auteur assez maigres (9 % puis seulement 11 % au-dessus de 10 000 exemplaires vendus). Comme je résiste un peu, risquant que d'habitude les droits sont plus progressifs et évoquant le cas de Marguerite, il me dit : « Elle est à 12 ou 13 %, je ne sais plus. » Outa lui-même disait pourtant à Pascal Gallet qu'elle touchait 10 F sur chaque *Amant* vendu, soit 20 %. Peu importe : mieux vaut un éditeur qui paie mal et s'intéresse à ce que vous faites qu'un éditeur qui paie... tout aussi mal et ne s'y intéresse pas.

Lundi 31 mars 1986

Sans toit ni loi d'Agnès Varda. Très riche et grand film. Sur un simple plan narratif, cette ingénieuse façon de greffer des historiettes sur le pourtour de l'histoire principale. Et, plus profondément, cette analyse-portrait de la marginale comme degré zéro de la « classité ». Déclassée, coupée de toute classe, même de la « classe de la violence » dont parle M. D. Du coup, en creux, le film dessine les bords des classes sociales, notamment de la bourgeoisie intellectuelle, version gauchiste ou techniciste (la platanologue et le jeune ingénieur), classe ou sous-classe que connaît bien Varda, qui est la sienne, qui est la mienne.

Dimanche 6 avril 1986

Comment peut-on aimer à la fois Montherlant et Duras? C'est là mon drame, c'est là ma gloire! (Sur le modèle de la phrase précédente, écrire tout un livre. Exemples : « J'aime à la fois l'Italie et le Japon »; « J'aime à la fois les Juifs et les Arabes »; « J'aime à la fois les garçons et les filles »; « J'aime à la fois les pâtes et les pommes de terre », etc.)

Lundi 7 avril 1986

Chance éhontée de Marguerite qui vient d'avoir encore un prix – le prix je ne sais plus quoi, donné par les Américains [1] : 50 000 dollars (en plus, juste après la dévaluation : très bon pour elle!). Surtout, elle a maintenant une collection chez P.O.L., où elle publie ses jeunes écrivains favoris.

Les gens de l'université de Salerne me relancent pour aller faire chez eux une conférence sur M. D. Encore! Envie de refuser. S'il n'y avait pas l'attrait de l'Italie, le souvenir tout frais du soleil d'hier à Bologne, j'aurais déjà dit non.

Vendredi 2 mai 1986

Jérôme Lindon me dit que l'accueil de la critique [à mes *Trois Rimbaud*] est très bon, même excellent, mais

---

1. Le prix Hemingway.

que ce n'est que « l'amorce d'un succès ». Un succès, explique-t-il, c'est Duras, vendant encore deux cents *Amant* par jour *deux ans après.*

Dimanche 4 mai 1986

À propos de Duras, lu dans un *Précis de littérature française du xxᵉ siècle* publié en 1985 par les très sérieuses Presses universitaires de France et dû à un certain Jacques Robichez, « professeur émérite » à Paris IV : « Une énorme campagne publicitaire accompagne la publication de *L'Amant.* (...) Le style de Mme Duras s'améliore : ses phrases, qui comptent de moins en moins de mots, contiennent de moins en moins de fautes de français. » Il arrive certes à Marguerite de faire des fautes, comme aux plus grands. Mais on a envie de crier à ce monsieur : « *Sutor, ne supra crepidam*[1] *!* » Cela prouve en tout cas qu'il y a encore à l'université des gens assez intrépides pour braver d'un coup le jugement prévisible de la postérité et le ridicule.

19 mai 1986

À Rome pour un colloque Duras.

Qui a poussé Marguerite à retirer le futur *Amant* à Philippe Sers (avec qui Outa et M. D. avaient déjà signé

---

1. « Cordonnier, pas plus haut que la chaussure ! » Apostrophe du peintre Apelle de Cos à un cordonnier qui, après avoir donné son avis sur la manière dont il avait peint une sandale, se mêlait de vouloir juger une autre partie du tableau. (Rapporté par Pline l'Ancien, *Histoire naturelle*, L. XXXV, § *XXXVI*, p. 85.)

un contrat – qui tient toujours – pour un recueil de photos [1] commentées par elle) et à le faire lire à Lindon ? Selon Claude Régy, Yann Andréa. Selon Outa, « plusieurs amis » (Le Masson, Sarrut, Ceton, etc.).

20 mai 1986

Duras se sent, selon Régy, plus menacée par la folie que par la mort.

Jeudi 22 mai 1986

Cocktail du Seuil. Il y a le Tout-Paris qui écrit, avec ou sans guillemets. Seuls, les très grands écrivains ne sont pas là – Gracq, Beckett, Simon, Duras, Klossowski, Mandiargues... Robbe-Grillet, prudent ou intermédiaire, est représenté par sa femme.

Jeudi 11 septembre 1986

Rencontré Outa, qui me dit que commencent chez lui des travaux : sa mère ayant acheté l'appartement voisin, il abat la cloison. Il m'invite d'avance à la crémaillère, dans deux mois. Marguerite est à Trouville depuis deux mois et demi et travaille, me dit-il. Je lui parle de l'entrefilet paru hier dans le *Canard* : oui, il y a bisbille entre Michel Butel et elle, et deux grands avocats vont s'empoigner là-dessus.

_____

1. Les plus rares, dont Outa voulait faire un contretype (?), ont brûlé en 1983 dans l'incendie du laboratoire de photos où elles étaient.

Mitterrand, dans cette affaire, ne dit mot et, sans doute, s'en fiche.

Mardi 29 décembre 1987

Face à face Duras-Godard à la télévision. Avantage à Duras, dont le narcissisme (grâce au montage?) semble en veilleuse. Elle parle plus clair que Godard, qui semble, forme et fond, en perpétuel *bredouillement* (avec des lueurs, cependant). Duras est un as. *Dur as, sed as.*

Pour faire mon Matthieu Galey : Duras, une tête de crapaud avec de grosses lunettes. Elle est un tout petit peu plus blanche de cheveux qu'au temps où je la fréquentais, la lèvre inférieure, couverte d'un rose baiser presque fluorescent, plus proéminente, le cou, dissimulé dans l'éternel col roulé, un peu plus empâté. Mais l'œil toujours aussi vif. Elle tient le coup.

Mercredi 21 septembre 1988

Le clou, pour moi, dans la soirée d'hier au Centre Pompidou, grande fête donnée par Canal+, ce n'étaient ni les ministres (Lang et Tasca), ni les vidéos, ni ces dizaines de connaissances revues et saluées, ce fut ce moment où je me trouvai pour la première fois, enfin, face à Delphine Seyrig. Nous étions au milieu de cette foule immense, formant un petit cercle, Delphine, une de ses amies, Anne-Marie Duguet et moi, parlant de Marguerite et de Chantal [Akerman], et il me semble que tout le monde nous regardait, mais il n'y avait, en vérité, que ce grand bonheur à voir tout près son visage inaltéré, d'entendre son admirable voix, et d'être salué de son sourire. Nous avons convenu d'une projection de *Letters Home* à Saint-Charles en décembre qu'elle viendrait présenter.

Jeudi 24 novembre 1988

Rencontré Outa, rue Saint-Benoît (il allait peut-être chez sa mère). Il me confirme : « Elle va très mal. » Depuis sept semaines à l'hôpital, trachéotomie et quelques autres termes médicaux que je n'ai pas retenus. « Tout se déglingue. » J'essaie d'être optimiste, rappelle que, juste avant d'écrire *L'Amant*, elle allait aussi très mal. Il me dit que, cette fois, ce serait un miracle qu'elle s'en sorte. A-t-elle sa conscience ? Non. Elle délire.

Samedi 31 décembre 1988

De Marguerite, à l'hôpital Laennec depuis quatre-vingt-huit jours, Outa m'apprend qu'elle a subi avec succès il y a trois jours une très grave opération : ouverture du devant de la gorge, une fistule recousue, etc. À présent elle est sous perfusion et dort. Outa dit que ce qui la sauve, c'est qu'elle a de bons reins et un bon cœur. Elle est « une force », lui dis-je. Une boule d'énergie. Increvable. Elle finira par se remettre, comme juste avant *L'Amant*, et nous refera un sacré livre.

Samedi 1er avril 1989

Arrivé trempé chez Lonsdale. Bel appartement donnant sur les Invalides. M'apprend qu'Arland était son oncle (par alliance, par Janine). Me donne des nouvelles – ô surprise : bonnes – de Marguerite. Mon pronostic va se réaliser : elle s'en tirera, guérira, écrira un chef-d'œuvre. Il paraît qu'elle s'assoit et écrit déjà un peu!

Dimanche 6 août 1989

Vers 19 h, je commence ma promenade dominicale. Je passe rue Saint-Benoît, trottoir ouest. Mon attention est attirée par un homme déguisé avec le visage peint en doré, qui marche au milieu de la rue en venant dans ma direction. Voilà pourquoi je n'ai pas vu venir cet autre homme assez gros, à petite moustache, qui vient de me croiser pour aller jeter quelque chose dans une poubelle à droite. Je reconnais soudain Yann. Je pourrais – je vais – dire : « Tiens, Yann ! Bonjour ! » Mais non, je poursuis mon chemin. Je ne me retourne qu'au bout de quinze, vingt mètres. Et alors, je le vois qui s'approche d'une voiture, au pied de chez Marguerite. Va-t-il démarrer ? Non. Il ouvre la portière droite. Que fait-il ? Et je comprends trop tard que Marguerite est là, dans la voiture. De loin, je la vois qui sort, contourne le véhicule, traverse le trottoir. Elle paraît plus menue qu'avant, cheveux moins fournis, d'un gris plus clair, elle a un peu de mal à marcher, mais pas trop, hop! elle a fait les deux mètres qui la séparent de la porte, elle est rentrée. J'aurais pu aller lui parler. Que m'aurait-elle dit ? M'aurait-elle même reconnu ? Aurait-elle eu de l'affection ou un mouvement d'hostilité ? J'en suis encore à me le demander au carrefour de Saint-Germain et de la rue du Bac ! Bah, je ne la reverrai pas, j'en ai pris depuis longtemps mon parti. Et pendant ce temps-là, D. F. tape les textes que j'ai écrits sur elle. Aurai-je jamais l'audace de les proposer à Lindon ? De son vivant ce serait dur, après sa mort (si c'est elle qui meurt la première), encore plus. Cela ferait si nécrophage ! Et tant de proches voudront faire la même chose !

Lundi 4 septembre 1989

Rançon de la liberté : mon attitude ambiguë à l'égard de Duras. Admirant son œuvre et capable de rire un peu d'elle (comme je ris de moi ou de quiconque). Probable que ça paraîtra incompatible à elle-même ou aux membres actuels de sa cour. On comprendra difficilement que je publie *Les Deux Veuves* ou « Encore un peu de cinéma » (où elle est aimablement moquée) et ces feuillets sur elle et son œuvre dont j'ai fait (à prix d'or) soigneusement retaper une partie par D. F.

Dimanche 10 septembre 1989

Hervé Guibert. C'est chez Marguerite, à Neauphle, je me souviens, que j'avais lu son premier livre sur ses deux tantes (avec la reproduction de son écriture [au sens graphique], paradigme, avec sa belle clarté, de son écriture [au sens barthien]). Marguerite venait de recevoir le livre et ne savait qu'en penser.

Mercredi 1er novembre 1989

Déjeuné avec Bernard [Pautrat] chez Zimmer. Me parle de l'adaptation de *L'Ecclésiaste* qu'il termine pour André Engel. M'encourage à écrire pour le théâtre. Mais il ne connaît pas tellement le théâtre contemporain. Me dit qu'il ne sort presque jamais. Moi, comme gens qui me paraissent intéressants et prometteurs aujourd'hui, je lui cite : Philippe Adrien, Philippe Minyana, Valère Novarina (en précisant que Novarina est autant un homme de verbe que de théâtre). Il me cite, lui, Tilly (*Charcuterie fine*). Me fait remarquer que Genet ou Beckett (auxquels j'ajoute Duras et il acquiesce) ne sont connus vraiment qu'à cause de leur théâtre. Moralité : faisons du théâtre.

Lundi 1er janvier 1990

Rêvé cette nuit à Marguerite. Hervé Le Masson m'avait dit l'autre jour qu'elle ne voyait personne et ne parlait plus au téléphone à cause de sa voix, qu'elle a perdue suite à ses opérations de la gorge. Dans le rêve, elle me parle, est de nouveau aimable, tendre. (Je fais souvent ce rêve.) Et moi, à cause de mes petites vacheries et du pastiche dans mes deux livres à paraître, je me fais l'effet d'un traître et j'en suis mortifié.

Mardi 2 janvier 1990

Nouvelles inquiétantes de Mikel [Dufrenne] par les Revault d'Allonnes. Depuis qu'il est à l'hôpital, les choses vont de mal en pis. D'abord, un spécialiste qui doit l'opérer de la prostate part en vacances et refuse de se faire remplacer. Il doit attendre quinze jours. Pendant ce temps, sa sonde lui fait mal. On l'hospitalise, on change la sonde. Résultat : septicémie, réanimation. L'oxygène de la réanimation provoque des ulcères. Etc. (et sans doute je décris très grossièrement). Mais c'est toujours la même impression terrible depuis la mort de maman – renforcée à la mort de mon père : dès qu'on met le pied à l'hôpital, on est foutu. Incompétence? Je-m'en-foutisme? Partage du corps malade entre spécialistes qui s'ignorent? Éloignement des proches et de l'environnement familier? Je ne sais, mais le résultat est là.

N'empêche que Marguerite, qui fut plus mal en point, s'en est tirée. C'est un monstre d'énergie, disais-je. C'est aussi, peut-être, qu'elle a été alcoolique, habituée aux descentes terribles au fond de soi, à ces négociations avec l'inconscience, à ces réémergences à partir de l'ultime parcelle de vitalité tapie dans la nuit intérieure qui donnent la force et le réflexe de la survie.

Lundi 29 janvier 1990

Dans un rêve, je vais retrouver Marguerite, à la demande de Beausoleil, pour un entretien dans *Libération*. À peine en sa présence, je m'efface : « Je ne suis pas venu de mon propre chef, si vous avez mieux, *et vous avez mieux*, je m'en vais. » Elle ne me retient pas.

Mercredi 6 juin 1990

Rêve, lieu où l'on prend ses désirs pour des réalités : cette nuit, Marguerite, qui avait le visage, un peu, de ma grand-mère, s'effondrait en larmes dans mes bras en me proposant que nous nous raccordions. « Il n'y a eu, entre nous, qu'un malentendu », lui disais-je, et elle reprenait la formule à son compte.

26 août 1990

Pour *Les Derniers Jours du monde*[1], je viens d'écrire un passage sur la voix de Marguerite. C'est, lors du « dernier dîner » au Noailles, Alexandre Maynard qui parle :

> — On a beaucoup parlé de sa voix [...]. Mais elle a eu au moins trois voix. [...] Ce n'était pas du tout la même voix. Bien sûr, il y a eu l'effet de l'âge et, un moment au moins, du tabac et de l'alcool, mais il y a eu aussi la promotion sociale. De la petite femme d'Antelme à la diva de Neauphle-le-Château interviewant le président de la République... On l'a parfois comparée à une grenouille. Ce fut, de fait, un peu la grenouille voulant se faire aussi grosse que le bœuf...

---

1. Dans ce roman censé pourtant se passer en 2010, je donne à Marguerite une place plus qu'importante. Une scène centrale consiste en la représentation au Grand Théâtre de Bordeaux d'un opéra tiré d'*India Song*. Beaucoup de personnages parlent d'elle, à de nombreuses reprises.

J'ai repris et complété ce passage-ci dans le chapitre sur « La voix de l'écrivain », dans *Le Grantécrivain & autres textes*, paru chez Gallimard dans la collection *L'Infini* en 2000.

— Oh! s'écrie Hincourt en mimant la réprobation.

— ... *Et y réussissant!* Donc, au début, dans les années soixante, elle fait un peu de journalisme à l'O.R.T.F., elle interviewe les autres, des enfants surtout – des enfants comme elle les aime : déclassés, orphelins ou abandonnés par leurs parents –, elle est attentive, discrète, elle a une voix gaie, d'un timbre assez aigu, mais douce, très douce et, curieusement (car elle ne vient pas du tout de ce milieu), très XVIᵉ arrondissement dans sa façon de prononcer les « t » du bout de la langue : c'est la bourgeoise de *Moderato cantabile.* Puis, grande époque, l'époque d'*India Song* ou de *L'Amant :* c'est à son tour de se faire interviewer, ce qu'elle fait à tour de bras, c'est la femme de plus en plus sûre d'elle, narcissique et vaticinante...

Hincourt fait de nouveau la moue.

— ...C'est la belle voix grave bien posée, articulant superbement, jouant des silences sans jamais lasser, celle qu'on entend dans ses films, *Le Camion, Aurélia Steiner...* C'est la fille de l'institutrice... Une Piaf de la littérature, un Michel Bouquet féminin dirigé par Maurice Blanchot.

— Par parenthèse, interrompt Hincourt, son mari, Dionys Mascolo, n'était pas mal non plus, question voix, à cette époque.

— Même cause, même effet, dit Maynard en élevant un peu devant lui le verre de vin qu'il s'apprêtait à finir. ... Et puis il y a la voix d'après le coma et la trachéotomie, la voix rauque et brisée, plus faible, paradoxalement plus humaine. La pythie en retraite, la sorcière coulant des jours tranquilles à Vitry [1].

26 septembre 1990

Idée (envie) très forte (comme souvent dans les trains ou les dîners seul, grâce ou non à l'alcool) : reprendre contact avec Marguerite. Par lettre et en faisant intervenir Outa (rencontré hier devant chez Hamon : nous nous sommes embrassés, il revenait tout juste de Rome) ou Hervé.

Dimanche 17 mars 1991

Cette nuit, rêvé à Marguerite qui me parlait sans rancune, qui m'aimait, que j'aimais. Cela, dans la période même où je suis en train d'écrire pour mon roman le passage sur les rêves qui reviennent et qui finissent par nous faire croire à la réalité de leur thème obsédant (je pensais à mes rêves de caresses avec F. et de conversations avec Mitterrand ; j'oubliais ce rêve de Marguerite, qui revient depuis cinq ou six ans).

Dimanche 30 juin 1991

Retour à Neauphle. Anniversaire d'Outa. Vers 19 h, je vais acheter un double magnum d'un vin du Gers chez

---

1. Allusion à *La Pluie d'été*, qu'elle venait de publier chez P.O.L. Extrait de *Les Derniers Jours du monde*, roman, Paris, Robert Laffont, 1991, pp. 313-314.

Nicolas : trois litres, trois kilos. Marcel [Mazé] doit me rappeler pour me dire l'heure et les détails du train. Il rappelle. Rendez-vous à 21 h à la gare de Montparnasse. Failli être en retard. Arrivons à 21 h 45. Personne n'est là pour nous attendre ou attendre d'autres invités. Faisons du stop (grâce à Marcel). À peine la porte de la maison ouverte, Outa est là, nous embrasse, dit « J'ai une bonne surprise pour vous », il nous conduit au jardin. Là, Marguerite règne, splendide, tunique de couleur délicate, entre rose et bistre, entourée d'une cour. Quel embarras pour moi. Le malheur commence.

Changements dans la nomenklatura. Visages que je ne vois pas. Absence de tous les grands intellectuels. Ne restent que des nains, des jeunes filles lisses, pâles, durassiennes.

La belle jeune fille blonde que je désire soudain violemment. J'en parle à Vincent Nordon, très sympa, le seul. Il me dit : « Dominique ! Elle n'a que dix-huit ans, elle vient d'avoir son bac... ».

Seul qui soit aussi esseulé que moi : Benjamin Baltimore. Espère un moment qu'il partira et que je pourrai lui demander de me ramener à Paris, mais non, rien.

Solitude. Impression non d'être rejeté, mais ignoré. En particulier Bernard Sarrut. Répond à mon bonjour, me parle quand je lui parle, mais me laisse dans mon coin, ne fait aucun effort. Même chose pour la jeune Valérie Mascolo. Sa mère, cette fois, plus sympathique : vient à moi, me salue. À peu près la seule. Mes seuls amis, Marcel et Gérard Courant sont occupés, paradant dehors. Impossible d'aller dans le jardin, Marguerite est toujours là. Impossible de lui parler, toujours une cour, en perpétuelle reconstitution : dès que quelqu'un s'éloigne, un autre, ou, plus souvent, *une* autre prend la place. Eugénie de Montijo vieillissante et ratatinée. Belle, cependant, sans lunettes.

[Tout de même aussi fait la connaissance de Jackie Berroyer. Il est avec sa nana. Apparemment nous nous sommes entrelus – lui *Les Trois Rimbaud*, moi beaucoup de ses textes dans *Charlie Hebdo*. Je ne sais si je lui ai assez dit l'admiration que j'avais pour ceux-ci, l'impression, la certitude, alors qu'il n'avait rien publié d'autre, qu'il était un vrai écrivain, au tempérament, à la *fraîcheur* exceptionnels, avec ce mélange de précision dans l'exhibitionnisme et de courage modeste dans le narcissisme qui font le grand humoriste. Vraiment à des années lumière de Duras, je me demande – il a dû me l'expliquer, mais je ne m'en souviens plus – par quel miracle il est là [1].]

À une heure du matin, je m'éclipse. *[Je me dis que je trouverai un hôtel ou pourrai faire du stop. Mais non, rien de rien.]* À deux heures, après avoir erré un kilomètre dans le noir, j'arrive à la gare de Villiers-Neauphle-Ponchartrain. *[Je découvre avec horreur qu'il n'y a pas de train avant plusieurs heures! Je grelotte.]* Heureusement, sur un banc, un vieux journal. Il m'empêchera de mourir complètement de froid. Je somnole des heures.

Vers 5 heures, le jour point. À 6 h 54 précises, le train paraît. À 7 h 27 je suis à Montparnase, à 8 h dans mon lit. Réveil à 11 h 30.

---

1. Rajouté le 17 août 1991.

Jeudi 3 octobre 1991

L'émission de Veinstein, j'y suis passé : propice aux déclarations passionnantes mais aussi à toutes les démagogies – la démagogie de la voix, du discours brut, direct, pathétique. Il est vrai que ce soir c'est Christian Bobin, spécialiste de la retape affective, de la roublardise provinciale, capable de dire : « J'espère que les auditeurs qui nous écoutent ce soir liront ce livre... »

... Bobin, guettant le moindre signe de l'interlocuteur, enfant doué qui cherche à plaire, à être le chouchou, à être aimé, à être le plus aimé, à se rouler dans l'amour des autres comme le chien qui se roule sur lui-même dans la poussière, l'été. « La circulation de Dieu dans les choses » – dit-il, et il ajoute : « Je dis ça en souriant », parce qu'il a dû surprendre de l'incrédulité dans le regard de Veinstein.

Et tout d'un coup je comprends : c'est notre nouvelle Duras, une Duras mâle, moins romanesque mais non moins vaticinante !

Mercredi 20 novembre 1991

Chez Agathe Gaillard, qui expose des photos des années soixante d'un certain Willy Rizzo, parmi lesquelles un étonnant portrait en duo de Marguerite et de Robbe-Grillet, joue contre joue, rencontré Catherine Robbe-Grillet. (...) « Il y a tellement d'écrivains qui ne savent pas parler... », dit-elle. Je lui réponds par la phrase de Blanchot sur l'écrivain « qui diffère de parler ». J'ajoute *in extremis*, désignant du regard la photo d'Alain et Marguerite près de laquelle nous nous trouvons, qu'Alain est une exception, qui parle aussi bien qu'il écrit. J'ajoute que « Marguerite aussi » : Catherine a l'air surprise. Je dois lui rappeler la voix envoûtante et l'aplomb de l'auteure de *L'Amant*.

Vendredi 6 mars 1992

Je vais entendre à la Maison des écrivains la lecture par Renaud Camus d'extraits de son *Journal*. Je ne le regrette pas : je découvre que celui que je classais dès la fin des années 70 parmi les jeunes écrivains français prometteurs est effectivement un vrai, un grand écrivain. Il le prouve devant nous non seulement par la lecture de passages de son journal de mars 1990, mais aussi par la lecture d'un chapitre de *L'Ombre gagne*, « roman d'idées », texte « odieux », qu'il vient de terminer et dont son éditeur ne veut pas (car, comme il s'est donné comme règle d'y écrire les choses les plus horribles qui peuvent passer par la tête d'un individu quelconque, j'imagine que s'y trouvent des propos racistes ou antisémites). Il s'empresse de dire que celui qui parle n'est pas lui, même si, parfois, les idées qu'il émet recoupent certaines des siennes propres. Dommage que ce ne soit pas publié – lui dis-je à la sortie, au cours du petit pot qu'organise Martine [Segonds-Bauer] –, car le chapitre qu'il nous a lu est un éblouissant morceau d'anthologie, une charge sabre au clair contre la France d'aujourd'hui peuplée de bonnes (magistrats-bonnes, professeurs-bonnes, politiciens-bonnes, écrivains-bonnes, etc. La tirade vaut le « marchand, tu es nègre, magistrat, tu es nègre... » de Rimbaud !) [1]. Tout cela se terminant par un épinglage de quelques tics du langage parlé d'aujourd'hui – notamment le redoublement du sujet ou de l'objet (« elle peut pas l'encaisser, Martine, Bébert ») –, avec, *in fine*, me semble-t-il, une claire allusion à Duras. Rien là, sauf peut-être un cinglant « négresses » pour qualifier certaines caissières de supermarchés, dont ait vraiment à rougir l'auteur, qui a d'ailleurs présenté ce chapitre comme « le moins odieux » (je le lui dis, il me répond : « Si, une chose : moi, je ne suis pas contre les bonnes »). Ce sont en quelque sorte ses *Poisons*, comme aurait dit Sainte-Beuve. Je voulais aller jusqu'au bout de l'expérience, explique-t-il, pour arriver à une sorte d'écriture indifférente et libérée (ce ne sont pas ses termes, mais c'est l'esprit).

Chose assez drôle : je lui demande si c'est bien Duras qu'il vise à la fin de son chapitre. Il répond oui. Je lui fais tout de même remarquer que ce n'est qu'un hasard si ce trait du style durassien, repérable chez elle dès les années soixante, rejoint le parler des vendeuses d'aujourd'hui. J'ajoute : « Vous avez été proche de Duras, pendant un moment, n'est-ce pas ? ». Il répond oui et observe : « Mais c'est drôle, je ne m'en souvenais plus du tout. Ce n'est qu'en relisant dans mon journal que nous avions dîné ensemble, été au cinéma ensemble, que j'y ai repensé. » Comme quoi la tenue scrupuleuse et massive d'un journal – mémoire de rechange – rend amnésique.

---

1. Ce texte a été publié depuis dans *L'Infini* n° 52 (décembre 1995).

Jeudi 16 juillet 1992

Les deux êtres qui hantent mes rêves de cette nuit – agitée comme les dernières à cause de la chaleur et parce que je suis dans une période de récupération où la fatigue longtemps accumulée me fait m'endormir tôt, mais où les cycles du sommeil m'amènent à me réveiller plusieurs fois dans la nuit puis, finalement, tôt le matin – sont parmi les plus insaisissables de ma vie : Marguerite (Duras) et B.

Mercredi 18 novembre 1992

Inauguration du cycle Duras à la Cinémathèque. Marguerite est là, malgré les embouteillages. Bientôt, on la fait asseoir au milieu du hall et le ballet des courtisans peut commencer. Un à un, chacun quelques secondes, les rampants spermatozoïdes viennent humblement tétouiller les parois de la suprême Ovule. Surviennent Renaud et Barrault, comme échappés, lui surtout, d'un asile de vieillards le jour des visites. Vraiment *La Nuit des morts vivants*. On leur sert un coup de blanc et ils repartent à petits pas. Quand commence la projection du film *Des journées entières dans les arbres* – le plus académique, le moins durassien de tous, quelle audace! –, de gros flocons de poils stagnent à plusieurs reprises sur la pellicule, obstruent l'image puis disparaissent : le ménage n'est pas fait à la Cinémathèque ou il y a longtemps que le film n'est pas sorti des greniers. Tout cela fait décidément très poussière. Sauf Marguerite, plus menue, plus vive aussi qu'avant : elle a retrouvé sa voix, elle arrive, comme dans ses meilleurs moments naguère, à donner le change, à faire passer son narcissisme pour de l'espièglerie et, feignant de prendre le gros balourd de la Cinémathèque (Saint-Geours ou Sainte-Nuit? Sainte-Gaffe) pour la réincarnation de tous ses fantasmes staliniens, elle se donne généreusement un rôle de martyre. « Vous et vos pareils du parti communiste qui m'avez persécutée ! », dit-elle à peu près [1].

Dimanche 29 novembre 1992

Duras l'après-midi au Théâtre des Champs-Élysées où se donne un bel *Armide* chorégraphié par Stéphanie Aubin. Je rencontre à l'entracte Outa au Bar des Théâtres, je lui paie sa bière, il me dit que Marguerite et toute la smala sont là, nous arrivons en vue de Marguerite, je lui dis « Re-présente moi ! » Il le fait. Arrivent en même temps deux nanas, elle se tourne vers elles, pas vers moi (mais elle était penchée à la rambarde du premier étage, elle nous avait vus arriver), puis elle se tourne un peu vers moi, mais c'est pour s'écrier : « Amy ! » car elle a vu, derrière moi, Amy Flamer arriver. Preuve claire qu'elle ne veut pas me parler. Son regard me traverse, je lui suis invisible. Et cependant, autour, tout le monde me voit, me serre la main (y compris Yann, presque souriant), m'embrasse (Violaine de Villers)... Situation ubuesque dont je me sors en m'écartant de Marguerite comme si de

—————

1. D'autres témoins m'ont soutenu récemment qu'elle l'avait au contraire ce jour-là accusé de l'avoir privée à une certaine époque d'une aide publique pour la réalisation d'un film parce qu'elle était communiste. Je note cette interprétation, n'osant trancher entre ce que j'avais entendu alors et la mémoire d'autrui. Ce qui est à peu près sûr, c'est que, dans les deux cas, le malheureux président de la Cinémathèque n'y était pour rien. *[Note de janvier 2001.]*

rien n'était et en parlant le plus naturellement du monde aux autres. C'est égal, c'est une sacrée couleuvre à avaler. Je pense aussitôt à faire une préface à mon livre sur elle – qui s'appellera, c'est dit, *Dure Duras* – où cette dureté serait évoquée.

Idée de donner justement comme épigraphe à *Dure Duras* cette citation de Lully et Quinault dans *Armide* : « *Il n'est rien dans l'enfer de si cruel que toi.* »

Mardi 15 décembre 1992

J'apprends par Pascal Gallet que Marguerite s'apprête à publier chez P.O.L. les entretiens que nous avons eus en 1983 sur ses films... débarrassés de mes questions – tout cela, bien entendu, sans m'avoir demandé ne serait-ce qu'un avis. (Idée : à supposer que le droit, l'usage ou la simple correction ne l'amènent à changer d'attitude, la laisser faire, puis, par ironie, publier ensuite mes questions toutes seules !)

Bref, je n'aurai pas eu de chance avec les gens auxquels j'ai beaucoup donné par estime, amitié ou admiration. Maxime : On n'admire qu'à ses dépens.

Samedi 19 décembre 1992

À notre déjeuner à trois chez Thoumieux – Élie Schulman, Jean-Pierre de Beaumarchais et moi , je parle de l'incroyable lettre de P.O.L. à Marie-Christine de Navacelle, représentant le ministère des Affaires étrangères, sur l'intention qu'a « Madame Marguerite Duras » de lui « confier la publication d'un livre dans lequel figureront ses entretiens avec Monsieur Dominique Noguez » : « Le texte en sera sans doute modifié et les questions certainement enlevées. »

Lundi 31 mai 1993

Âge. Rien n'est jamais perdu. Duras a fait son plus beau roman à cinquante ans (*Le Ravissement de Lol. V. Stein*, en 1964) et l'un de ses plus beaux livres, celui qui lui a apporté définitivement gloire et richesse, à soixante-dix (*L'Amant*, 1984).

Dimanche 30 janvier 1994

Cette nuit, un de mes rêves récurrents : rêve où Marguerite me reparle et me fait bonne figure, me tient la main, est affectueuse.

Jeudi 17 février 1994

Comme Marguerite a toujours « mal » écrit! (Je veux dire non seulement de façon embarrassée et lourdinguement abstraite, mais aussi en faisant des fautes de français.) Dans *Moderato*, par exemple, recherchant le sublime passage sur le baiser pour ainsi dire superflu et presque facultatif entre les amants (« il fallait que cela fût fait [1] »), je tombe sur ceci (dans le non moins sublime

---

1. En réalité : « Leurs lèvres restèrent l'une sur l'autre, posées, afin que ce fût fait... », pp. 152-153.

passage final du dîner avec saumon) : « Les femmes le dévoreront jusqu'au bout. Leurs épaules nues ont la luisance et la fermeté d'une société fondée, dans ses assises, sur la certitude de son droit, et elles furent choisies à la convenance de celle-ci. La rigueur de leur éducation exige que leurs excès soient tempérés par le souci majeur de leur entretien. *De* celui-ci on leur *en* inculqua, jadis, la conscience [*je souligne*] [1]. » Le « en » est évidemment redondant.

Lundi 7 mars 1994

Bobin : parfois, vraiment les tics de Duras. Mais il écrit mieux que Duras (je veux dire du point de vue de la virtuosité dans le maniement de la langue ; Duras est grande *malgré* la langue, elle doit se colleter sans cesse à elle).

Mardi 21 juin 1994

Kyoto. Vieille petite Japonaise poussant une carriole sur le trottoir. De dos, coupe et couleur de cheveux, voussure, jupe bleue marine, c'est tout à fait Marguerite Duras. De face – bouffie, yeux fermés, peau brune tavelée –, c'est Marguerite ayant pris un coup de vieux !

---

1. *Op. cit.*, p. 130.

Mercredi 29 juin 1994

Rues tranquilles de Kyoto, parallèles à Sanjo, plus au nord. Petite dame traversant : encore Marguerite Duras, plus jeune que la vraie. Passé un certain âge, toutes les Japonaises ressemblent à Marguerite Duras.

Mercredi 7 septembre 1994

Hier soir, club Phares et Balises. Quinze ou seize présents. Affaire Mitterrand : véritable lynchage, sauf de la part d'Alexandre Adler, brillant, et, dans une moindre mesure, de Régis, qui fait état cependant de sa perplexité. T. dit avoir toujours détesté l'homme, S. n'en est pas loin, G. est déchaîné et, finalement, injuste, faisant de Mitterrand l'homme du compromis perpétuel et d'un vichysme de gauche : il oublie l'affaire des fuites et la traversée du désert de 1958. Même Gallo, ancien ministre de Mitterrand, y va de sa remarque assassine. Ce qui lui est surtout reproché, et cela, certes, est gênant, c'est qu'il ait pu revoir des gens aussi compromis dans l'impardonnable que Bousquet. Quant au reste, c'est un procès, le procès de gens qui reprochent à un homme de n'avoir été qu'un homme, non un dieu qui sait au quart de tour ce qu'il faut faire, trop lent dans sa pourtant courageuse métamorphose. Je ne dis rien, bafouillant seulement sans être entendu qu'on oublie Morland, le Mitterrand résistant, celui dont Duras m'entretenait si longuement.

Dimanche 22 octobre 1995

À Londres. Dans le vénérable vieux cinéma Everyman archicomble, projection d'*India Song*.

Mardi 24 octobre 1995

12 h. Parlé avec Outa. Me dit que Marguerite a une dégénérescence de certaines cellules nerveuses du cerveau. En 1989, pendant son coma, on lui avait prédit, si elle en réchappait, un triste état de légume. Elle en avait réchappé, nullement légume, se remettant aussitôt au travail. Mais cinq ans plus tard, en 1994, les malheurs annoncés ont tout de même commencé. Elle n'est pas atteinte d'Alzheimer, elle reconnaît les gens – en tout cas elle reconnaît Outa –, mais elle a des incohérences, des délires. En particulier Outa me dit – ce que je pressentais à la lecture – que « son » dernier livre n'est pas vraiment d'elle. Ce serait une fabrication de Yann à partir de ce qu'elle lui dit dans la journée. Outa n'a rien vu depuis longtemps sur sa table de travail, qui est « absolument vide ». En fait, selon lui, elle n'est nullement consciente de l'existence de *C'est tout*. Elle n'a pas fait, pas corrigé ce livre. Elle ne sait pas l'avoir fait. Je mets Outa en garde contre ce genre de procédé : il a, en tant que fils, à veiller à ce qu'une foule de fragments plus ou moins apocryphes n'envahissent le marché, avant sa mort et même après [1].

---

1. Bien entendu, le point de vue de Yann Andréa est tout différent. C'est lui qui, pour occuper Marguerite alors qu'elle allait déjà mal, pour la *maintenir en vie* en quelque sorte, lui a proposé de faire un livre. Elle n'y a pas travaillé de la même façon qu'avant mais c'est quand même un vrai livre d'elle. Elle lui dictait des phrases et ensuite les revoyait « à la virgule près ». *[Note du 8 septembre 2000.]*

Londres (suite). « Débat » décevant à l'Everyman. Contrairement à ce qui était prévu, tout le monde parle anglais, même Outa, intarissable, sauf moi qui recours aux services de l'interprète. Tout va mieux ensuite, après que nous avons vu *Duras filme* apporté par Outa (décidément très beau document, où Marguerite est inspirée, le meilleur film sur et avec elle).

Vendredi 26 janvier 1996

Hier soir, rentrant tristement chez moi après l'inutile conférence d'Henri Deluy sur la notion d'anthologie, je tombe rue Saint-Benoît sur Yann. Je l'aborde (il marche, élégant, perdu dans ses pensées). Il dit aussitôt qu'il voulait m'appeler. Ah bon? me dis-je, il voulait donc qu'on se voie? Pas du tout, c'est encore cette foutue affaire de mes entretiens avec Marguerite. Il veut à tout prix les publier chez P.O.L. Il ne précise pas s'il est toujours question de supprimer mes questions. À chaque fois que je lui demande « comment ça va », il me répond en parlant d'elle. Comme s'il avait intériorisé son statut de poisson pilote ou de lierre et qu'il ne faisait qu'un avec elle.

Dimanche 3 mars 1996

18 h 30. Laurent m'appelle de la Sarthe et m'apprend la mort de Marguerite, prétendant tenir la nouvelle de sa filière littéraire, « une nouvelle filière », que ce n'est qu'officieux, qu'il ne faut rien ébruiter.

En fait, je constate une demi-heure après que toutes les radios l'annoncent. Sur France Info, interview de Françoise Giroud qui insiste un peu cruellement sur sa vanité. J'appelle Outa. Il écoute de la musique, paraît calme et comme pas au courant (« Tu apprendras ça [l'heure des cérémonies] par les journaux. Je ne sais pas exactement. Moi, quand on m'a réveillé pour m'apprendre la nouvelle, tout était plus ou moins déjà réglé. ») Il me passe Jérôme, qui est avec lui. Ils vont dîner ce soir avec Yann.

Lundi 4 mars 1996

Duras clamse : la Bourse monte de 1,3 %.
(Manière de résumer la journée dans l'esprit du temps.)
L'actualité a beau être chargée – avec le deuxième attentat très meurtrier du Hamas à Jérusalem, une semaine après le premier, et avec la victoire d'Aznar aux élections espagnoles –, les télévisions, les radios, les journaux parlent abondamment de Marguerite. Grande photo à la une de *Libé* et cinq pages à l'intérieur. Je recherche des photos dans mon dossier, tombe sur une lettre d'elle dont je ne me souvenais plus – où elle s'excusait de ne pas pouvoir venir à mon pot de thèse, en décembre 1983. Le visage d'elle que montre *Libé* – son visage des années 90, de petite pomme ratatinée, sans lunettes – n'est pas pour moi son vrai visage. Le visage qui reste en moi est celui qu'elle avait à Toulon et à Hyères quand j'ai commencé à la connaître, quand elle buvait, quand nous passions, avec Marcel, Claude et Jean-Paul, Marceline Loridan, quelquefois Christiane Rochefort, etc., des nuits joyeuses et délirantes. Que d'émotions, alors! Il y avait eu aussi l'Italie, où je l'accompagnais, faisant le porteur de valises. Hier soir, tard, Ester m'a appelé de Rome, émue. (J'en ai pro-

fité pour la remercier de son accueil, chez elle, en décembre, avec L.)

Comme je l'imaginais fort bien, sa mort est survenue avant que j'aie le temps de finir mon livre sur elle (il était prêt depuis longtemps ; il ne me restait qu'à taper les extraits de Journal). Bah. Mieux vaut l'honorer en retrouvant son exigence et sa force. (Gageure, bien sûr. J'aurai beau faire, moi comme d'autres, je n'aurai jamais ce qui fit, à côté de son originalité littéraire et cinématographique, une grande partie de son rayonnement : cet extraordinaire talent oratoire, cette maîtrise absolue du genre de l'interview, ce sens de la formule, cette réelle *inspiration* qui la prenait quand elle parlait en public, ce public fût-il provisoirement réduit à un magnétophone déclenché par un interlocuteur timide.)

Gide et Duras : 1) à quelques jours près, ils ont vécu le même laps de temps – l'abstème Gide et M. D. l'alcoolique ! 2) Gide disait que le (grand) écrivain devait avoir une forme de comique propre. M. D. prouve qu'il peut avoir aussi (pour sa plus grande gloire médiatique) une forme de ridicule bien à lui.

Mardi 5 mars 1996

Morfondu. Rentré chez moi après avoir été prendre un verre de saint-estèphe chez Michel Deguy (où Martine vient de s'installer) en regardant la fin d'*India Song* (Martine et moi plutôt émus, Michel moins).

Marguerite Duras, citée par Dumayet au cours de son entretien aux Roches noires avec elle en 1992 : « Chaque livre est un meurtre de l'auteur par lui-même. »

Jeudi 7 mars 1996

Enterrement de Marguerite. J'arrive à 14 h 15, l'église Saint-Germain-des-Prés déjà pleine. Jean-Marc Turine, à l'entrée, me dit qu'une place m'est réservée. Un monsieur des pompes funèbres me conduit aux premiers rangs. Je tombe sur Michèle Joannou, me mets à côté d'elle, puis la suis de l'autre côté de l'allée, quand elle reconnaît, dans la femme seule qui lit un livre de Duras en attendant que ça commence, l'amie avec qui elle avait rendez-vous, Katia Kaupp. Très vite elle renonce à me faire la conversation, car j'ai pris – sans chichi – un visage concentré, le plus discret, le plus inapparent possible, ne regardant personne, m'enfermant dans mes souvenirs de Marguerite. En même temps, les étreintes de tout à l'heure avec L., chez moi, sur le lit, après le déjeuner – les deux corps abandonnés, emboîtés, se frottant doucement l'un à l'autre, de l'électricité, de l'amour traversant les peaux et passant d'un intérieur à l'autre – font que je suis encore auréolé de cette ferveur, de cette tiédeur, dans le flou. L'amour rend flou.

Patrick Kéchichian passe sur le côté. Je lui fais signe de s'asseoir avec nous aux rangs réservés. Il décline l'invitation et va rôder de l'autre côté de l'église.

Deux ou trois grandes gerbes – l'une avec un ruban bleu blanc rouge, officielle sans doute – et un cœur en roses rouges.

À gauche Dionys avec Edgar Morin et avec sa femme et sa fille Virginie; Bruno Nuytten avec des cannes.

Devant moi, Douste-Blazy, Jean-Sébastien Dupuit, Toscan du Plantier. Aussi un revenant : Adolfo Arrieta, avec Dominique Auvray.

Le cercueil posé directement sur le sol, sans rien dessus. Le prêtre ennuyeux et ne disant même pas la messe. Service vraiment minimal, l'Église renonçant trop à son être et à ses rituels. (Et cependant c'était encore trop pour Dionys, qui a, paraît-il, manifesté de l'irritation.)

Lecture « avec l'accord de Yann et d'Outa » de l'Ecclésiaste par Jean-Marc, puis de l'extrait de *La Pluie d'été* où ce « Vanité des vanités » est commenté. À la fin, la musique d'*India Song*, écoutée par l'innombrable assistance dans le plus grand silence, avant que les croquemorts viennent reprendre le cercueil. Émotion.

Un quart d'heure pour sortir. La place noire de monde, mais tout de même pas jusqu'au Collège de philosophie ni jusqu'aux Deux Magots.

Au cimetière du Montparnasse, où je file en métro avec Marcel Mazé : grand froid, pluie, grêle et même foudre. Queue devant la tombe. Personne n'a eu l'idée de distribuer des fleurs qu'on aurait jetées sur le cercueil en hommage affectueux. On se penche, on voit très au fond, très bas, le cercueil perdu dans le noir de cette tombe profonde et vide, au moins quatre places encore (Dionys? Outa? Yann?). Puis on va s'embrasser, serrer des mains, papoter. Pendant ce temps, plus personne devant la tombe ouverte. Marguerite abandonnée. Comme à Neauphle déjà, pendant les fêtes d'Outa, à la fin : elle là, avec quelques intimes, mais la fête se déroulant autour, à côté, sans elle.

Outa embrasse tout le monde avec une force énorme, longuement, moi comme les autres. Frédéric Antelme me serre la main gentiment. Mais les clans, les froideurs de la Durassie réapparaissent : l'espèce de pharmacien normand dont je ne sais plus le nom ou Jean-Pierre Ceton semblent me faire la gueule. Cela me suffit, je file.

En rentrant, rue de l'Échaudé, frisson d'angoisse : plus là, Marguerite. Elle n'était déjà plus là pour moi depuis longtemps, mais elle existait, vivait à deux cents mètres de chez moi. Maintenant, plus là du tout, réduite à cette tombe que de nombreux fans viendront fleurir, de la pierre, rien. A-t-elle eu le temps de penser fortement à cette détresse, à cette vanité dans les derniers temps ? A-t-elle eu le temps de redevenir humble ?

Chez moi, je prends du thé avec des spéculos, m'endors dans le fauteuil, rompu.

Dimanche 17 mars 1996

Vu Bernard [Pautrat] dans Saint-Germain un peu désert, à la Cour Saint-Germain puis à la Rhumerie. Voilà un véritable ami des livres. Entre autres excellentes histoires sur des livres ou liées à des livres, qu'il glane continûment dans les puces de tout genre, il me signale *Heures chaudes* d'un certain ou d'une certaine « M. Donnadieu », publié en 1941. Parti canularesque qu'on pourrait en tirer, en soutenant, par exemple, que c'est le premier livre secret de Marguerite Duras !

4 h. Lu et même dévoré – car cela se lit vite – le livre de Jean-Pierre Ceton sur Marguerite Duras, qu'il rebaptise « Emmedée », la malheureuse ! (La langue française étant ce qu'elle est, n'importe qui prononcera en effet spontanément ce mot « *an*-meu-dée », comme dans « *em*menée » ou... « *em*merdée » ! – il est vrai que, désinvolture ou ignorance, l'ami Ceton s'assoit volontiers sur la langue française.)

Il m'y donne un pseudonyme et se sert un peu de moi comme d'un punching ball (pour ce que je suis, personnellement ou comme représentant de catégories sociales – les intellectuels et les universitaires – qu'il ne semble pas porter dans son cœur). Quel dommage que les trois quarts des sentiments qu'il me prête ne m'aient jamais traversé l'âme, qu'il se trompe psychologiquement à un tel point, qu'il invente même des épisodes (ma participation à la grande fête du Rond Point pour célébrer le prix Goncourt de *L'Amant* : il y a belle lurette que je ne voyais plus Marguerite, je n'y étais pas).

Il oublie que c'est moi qui la lui ai fait rencontrer en 1975 ou 76 et montre tant de hargne que je n'exclus pas rétrospectivement qu'il n'ait pas personnellement contribué à la fin de nos relations en versant ce qu'il fallait d'huile sur le feu, en 1984 et après, pour la décourager de me revoir.

À un moment, il évoque la réaction vulgaire d'un de ses amis tenant pour évident, devant lui, qu'il avait couché avec elle dans le but d'obtenir la préface qu'elle lui avait faite pour son premier roman. Chose qui était, effectivement, vulgaire et improbable (et d'ailleurs fausse, comme il le révèle). Il y a cependant une hypothèse qu'il n'envisage jamais – par discrétion ou déficit, pour une fois, de narcissisme –, c'est que Marguerite ait été amoureuse de lui. Il *brûle*, pourtant, quand il remarque que le moment où elle a finalement consenti à voir Yann Andréa (qui lui écrivait en vain depuis des mois) correspond exactement au moment où lui, Ceton, s'est, de lui-même, en quelque sorte retiré de la course en lui révélant qu'il était amoureux fou d'Anne Luthaud et quand il observe que Marguerite ne montra désormais plus guère de sympathie à Anne.

Pour moi, il a toujours été clair que Marguerite vibrait particulièrement en présence de Jean-Pierre, qu'elle était *physiquement* sous son charme, que le jeune homme aux cheveux noirs et aux yeux clairs (tantôt bleus, tantôt verts) qui hantait ses textes de cette époque, c'était lui – entre *autres*, peut-être, mais lui.

Il est vrai qu'il admet, à la fin du livre – très belle –, dans une phrase où il apparaît pudiquement à la troisième personne, que Marguerite avait raconté à Yann qu'« un jour *cela* avait failli se passer, oui *cela* avait pu, c'était sur un palier, quand la conversation s'était tue ».

Cela dit, Ceton est puni par où il a péché : son livre est plein de tics, de tournures parlées populo-enfantines (« quatre cinq heures cela durait la pièce »), de répétitions et de redondances (« Dès que j'avais ouvert le paquet, je m'installais au calme dans ma grande pièce et je lisais. / Je lisais, jusqu'au bout, entièrement ») ou d'amphigouri (« Étant entendu que les fantasmes sur les grosses bites ne recouvrent guère une réalité selon quoi un sexe a souvent la grosseur de son histoire, ou peut-être celle de l'intensité du désir pour qui en est le sujet [1] »*[sic]*), qui sont comme une caricature du style de Marguerite. La caricature s'atténue en simple mimétisme dans la division du livre en fragments d'un ou deux paragraphes et dans les « elle avait dit oui que je devais avoir raison » (p. 164), les « sans que cela ait de lieu aucun » (p. 240) ou les « T-ville » (à la manière de T-Beach), qui sont parmi les marques stylistiques durassiennes les plus voyantes.

Jeudi 20 février 1997

5 h 45. Soufflée par le rêve, du moins les voix du demi-sommeil : cette incroyable esquisse d'une étude comparative à faire entre Villiers de l'Isle-Adam et Marguerite Duras sur l'importance des noms dans leur œuvre respective. Que la nomination y excède sa fonction usuelle et utilitaire – la désignation arbitraire des choses, des êtres ou des lieux – pour prendre, comme dans la culture talmudique, une fonction métaphysique : quelque chose comme une motivation *transcendantale*. Dans mon rêve, c'est ce que j'expliquais à l'oreille d'une fille de Michel Deguy (?) qui venait de gagner je ne sais quel prix durassien décerné dans un café où Marguerite venait jadis se saouler avec Yann ! Puis la conscience a repris peu à peu ce délire à son compte, au point que, parvenu à l'extrême bord du rêve, à cet endroit où il n'est plus séparé de la veille que par une mince membrane, je me prenais à y croire, j'avais même trouvé un titre (« Le Connétable et la Grande Marguerite »). Réveillé, je sors les *Contes cruels* et

---

1. Exemples respectivement tirés des pages 228, 28 et 69-70.

l'ouvre aux dernières pages. Et je tombe sur « Le Chant du coq », qui se réfère, dès la première note, aux *Rouleaux des commentaires talmudiques du Consistoire de Varsovie*! Puis, m'apprêtant à laisser là ce qui est décidément un délire (de plus sots ou de plus malades en feraient *vraiment* une thèse! et ils trouveraient des analogies, ils *prouveraient* – puisqu'on peut tout rapprocher et tout prouver), je vois évoquée, dans « Conte d'amour », en liaison avec la côte normande et la mort, cette pure ancêtre d'Anne-Marie Stretter :

> C'est la femme qu'on aime à cause de la Nuit,
> Et ceux qui l'ont connue en parlent à voix basse...

Mardi 22 avril 1997

Album *Duras* d'Alain Vircondelet, avec les photos collectionnées par Outa. Cela va de la jeune fille précoce, si sensuelle déjà avec ses frères très beaux, à la sorcière de la fin (la photo de la page 183, où elle ressemble à ma grand-mère dans ses derniers jours, décharnée, grise, l'œil gauche fermé, comme portant désormais toute sa méchanceté sur son visage).

Je ne sais qui a choisi les photos. La seule où je sois, p. 125 (la tête tournée, de sorte que, sans la légende, on ne pourrait m'identifier), porte une erreur de date (« 1985 ») : c'était en réalité le 30 août 1979, au Festival d'Hyères, Marguerite assise entre Marcel Mazé et moi, lors d'un mémorable méchoui où le vin rosé avait coulé à flot.

216

Mercredi 7 mai 1997

Anecdote que me rappelle Pascal Gallet. Pendant nos entretiens de 1983, Marguerite, revoyant un soir ce qui avait été tourné pendant la journée et jugeant qu'elle avait été cadrée à son désavantage, expliquait cela par la malveillance. Elle avait demandé en conséquence qu'on chasse le cadreur. Sa paranoïa (ou sa lucidité ?) anticommuniste s'était donné libre cours : « Renseigne-toi, lui avait-elle dit. Tu peux être sûr qu'il a sa carte de la CGT ! » Pascal l'avait calmée et n'avait pas obtempéré.

Lundi 18 août 1997

Ce que j'ai reçu *concrètement* de Marguerite : la recette des lentilles (je lui avais dit que j'achetais des lentilles à la graisse d'oie en conserve, elle trouvait cela scandaleux), un conseil existentiel pratique : quoi qu'il arrive, si bas qu'on soit, faire chaque jour son lit.

Mardi 23 septembre 1997

La Maladie de la mort à Bobigny avec Josiane, LJ et Béatrice. Excellent Piccoli, superbe Lucinda – mais elle a beau faire, elle avale quelques fins de mots et son texte ne m'est compréhensible que parce que je viens de le relire. Lumières et sonorisation éclatantes, ingénieuses. Mais Bob Wilson ne s'en est pas tenu à ce grain de sel. Il a ajouté des sarcasmes et des bouffonneries qui ne sont absolument pas durassiens. En tout cas, m'apparaît clairement le sens de cette *machine* : commencée dans la douceur accommodante d'un effort pour faire comprendre à un homosexuel ce qu'est le corps d'une femme, l'y apprivoiser, elle bascule très vite dans le réquisitoire le plus terrible. Comme si M. D. avait substitué fantasmatiquement son propre corps en gloire à celui de la putain originelle. Et cela devient une longue imprécation : vous et vos pareils êtes du côté de la mort, sous-entendu : incapables de donner la vie, donneurs de mort, désirant la mort de la Femme intruse (p. 3 : « Vous vous dites qu'elle devrait mourir » ; repris p. 47, où l'on voit mieux que c'est là une lubie de la Femme plus qu'une donnée objective : « ... Vous avez eu envie de la tuer [...], elle l'a compris dans son sommeil à votre regard sur elle »), voués jusqu'à la fin des temps au non-amour, en fait condamnés à mort par elle, la Femme (p. 48 : « Vous allez mourir de mort. Votre mort a déjà commencé »). Difficile en plus de ne pas penser en filigrane au sida.

(Remarqué aussi : précision pédagogique de certains détails crus : différence entre une pénétration vaginale et une pénétration anale : p. 10 : « ... Sur le sexe étale, là où vous ne connaissez pas. [...] ... Je voudrais pénétrer là aussi. Et aussi violemment que j'ai l'habitude. On dit que ça résiste plus encore, que c'est un velours qui résiste plus encore que le vide. » Les redondances durassiennes : « mourir de mort », « le mot du nom ». Et, encore une fois, comme il peut arriver à Marguerite de mal écrire — avec ces lourdes tournures calquées sur l'américain : « Vous ne sauriez jamais rien (...) *de comment* elle voit, *de comment* elle pense... »)

L'Amie de Michèle Manceaux. Probablement le livre le plus juste et le plus généreux qu'on ait jusqu'ici publié sur Marguerite. Vraie amie, que celle-là – et Dieu sait pourtant que Marguerite a dû lui en faire voir de toutes les couleurs. Elles se sont brouillées (ou plutôt, précise Manceaux, « elle s'est brouillée avec moi ») en 1984 (la même année que moi, même si je récuse le mot de « brouille »). Ce livre apprend une foule de choses, d'anecdotes, sur elle (par exemple que ses camarades du Parti, en 1956, l'avaient affublée du sobriquet de Peter Lorre), mais, mieux, il la ressuscite. On l'entend, on la voit : « Quand elle réfléchit, elle a une façon particulière de raccourcir son cou, de rentrer encore plus sa tête dans les épaules. » (J'ajouterai que ce geste était souvent accompagné d'un râclement de gorge...) On la comprend, on suit la genèse de son œuvre (d'où lui est venue Lol V. Stein, par exemple). On entend fuser des phrases qui deviendront des répliques : « Tout le monde a envie de tuer, pas toi ? » « Écrire, c'est suicidaire, c'est terrifiant, et on le fait quand même. » On retrouve sa mauvaise foi (à propos de Resnais, par exemple), ses « délires », mais aussi tout ce qui la sauve (Michèle Manceaux veut la sauver) : « Elle ne laisse passer aucun moment sans l'enrichir. On la dit avare, mais elle donne autrement » (p. 21) ; « son plaisir de donner égal à son plaisir de dominer » ; « son indéniable intelligence ». « Moi je l'écoute parce que, le plus souvent, elle indique des voies nouvelles. Et je ris aussi quand elle exagère » (p. 28).

Sans date

Dans mon vieux répertoire, à « Duras », je tombe sur le numéro de téléphone de Marguerite au 5, rue Saint-Benoît tel que je l'avais noté il y a vingt-cinq ans. C'était le 260 71 31. Et je vois, à côté, en rouge et vert, la formule mnémotechnique que j'avais fabriquée pour m'en souvenir par cœur. Elle consistait à revenir au système ancien et à remplacer chaque chiffre par une des lettres correspondantes sur le cadran téléphonique (sauf le 1, qui n'en comporte pas). Et cela donnait le mot le plus durassien du monde : **AMOR/E/...**

Mercredi 25 août 1999

Au courrier de l'après-midi m'arrivent *Renaissance*, dont Michel [Houellebecq] m'avait annoncé hier l'envoi (auquel il a joint des photos de La Baule prises par sa groupie locale), et *Cet amour-là*, le livre de Yann Andréa, dont je ne peux pas m'empêcher de dévorer la première moitié d'une traite et qui m'émeut beaucoup. Le récit de la mort de Marguerite me fait pleurer. Yann a décidément vécu une vraie histoire d'amour, surprenante, avec elle. Le plus étonnant : la symbiose à laquelle ils étaient arrivés, dont il passe quelque chose dans l'écriture (écriture très mimétiquement durassienne, certes, et cependant fluide, simple, bien à lui). Il est presque devenu comme le personnage de *Psychose* avec sa mère. Il parle en elle, elle parle en lui.

12 h 35. Visite au cimetière Montparnasse. Je commence par Sartre et Simone. Un peu abandonnés, les chéris. Seules trois roses desséchées traînent sur leur tombe. Et un message en italien, daté d'il y a deux jours, qui a voleté à quelques centimètres. Un ou une Italien(ne) y exprime sa gratitude : « Vous m'avez appris à laisser mon désir s'épanouir (*maturare il mio desiderio*). » Il ou elle ajoute : « *La morte non esiste.* » Et finit en espérant « les rencontrer dans un autre lieu ». Où ?

Puis, après un long et vain détour pour retrouver Joris Ivens, je vais voir Marguerite. Elle est dans la 21ᵉ division, avenue du Boulevart. J'ai du mal à reconnaître sa tombe. C'est qu'elle est d'une pierre blanche déjà usée, maculée de taches grises, comme ces tombes plus ou moins abandonnées d'il y a un siècle qu'on rencontre encore çà et là dans le cimetière. Mais c'est bien elle, deux inscriptions l'attestent : l'une, MARGUERITE DURAS / 1914-1996, sur le dessus, et l'autre, M D (sans points), sur le devant.

Inventaire de ce qu'on y trouve : à l'arrière, un petit buis orné de deux fleurs rouges artificielles ; sur le devant, une petite plante verte ; au milieu, des fleurs de tilleul sèches tombées de l'arbre voisin, deux fois deux roses desséchées et, ô surprise ! deux petites pièces, l'une de cinquante centimes, l'autre de dix. Dépôt ironique ? Allusion à sa richesse ou à sa supposée pingrerie ? Formulation d'un vœu, comme à la fontaine de Trévise à Rome ou comme à Lourdes ? Un culte serait-il en train de naître ? À elle aussi, on écrit – au dos d'une photo d'un escalier de Trouville placée à côté du buis. Probablement un ou une voisine qui n'a pas signé mais montre qu'elle l'a connue

221

en faisant allusion à son horreur des baignades et en saluant « celle qui, du premier étage des Roches noires, trouvait l'inspiration en jetant un coup d'œil transcendant ».

Transcendant... Pauvre Marguerite, que reste-t-il de toi sous cette pierre? Des os, un crâne entouré de cheveux blancs, des ongles qui ont poussé, tes fameuses bagues? En tout cas, non loin de toi en ce monde parallèle à deux mètres sous terre, plusieurs que tu as connus ou aurais pu connaître : outre Sartre et Beauvoir que tu n'aimais guère, Jouve, Berl, Beckett, Ionesco, Cioran et tout là-bas, sur la droite, ta chère Delphine Seyrig.

APPENDICES

1

Déclaration du jury du cinéma différent
(Marguerite Duras, Dominique Noguez, Shuji Terayama)
au festival de Toulon le 16 septembre 1975

Le jury tient d'abord à saluer le cinéma différent, cinéma
sans frontières, cinéma hors de l'argent. Son existence est
vitale. Le festival de Toulon, c'est le cinéma différent : sa suppression serait infiniment plus grave pour le cinéma que celle
du festival de Cannes. Le cinéma différent, c'est le cinéma de
l'avenir. Qu'il y ait deux spectateurs ou trois mille, la chose est
indifférente. On ne peut pas parler du cinéma différent à partir
de son audience, autrement dit dans les mêmes termes que du
cinéma commercial : autant parler du devenir féminin en
termes phallocratiques. Faire du cinéma différent, c'est avant
tout ne plus vouloir subir le cinéma de la société de consommation. Le lieu du cinéma différent est un lieu tragique, c'est
avant tout celui du refus.

Le jury attribue le Grand Prix du court métrage à *F 2* de
Jean Pascal.

Après avoir longuement discuté autour des quatre films suivants : *Eugénie de Franval* de Louis Skorecki, *Robbert F. Lying*
de Rodolphe Bouquerel, *Leave Me Alone* de Gerhard Theuring
et *Mozart in Love* de Mark Rappaport, le jury a décidé d'attribuer le Grand Prix du long métrage à *Leave Me Alone* de
Gerhard Theuring.

En outre, le jury a décidé d'attribuer les prix suivants :

Prix de la folie : *Modelo* de Kostas Sfikas.

Pour son travail à la caméra dans *Film About A Woman Who* et *What Maisie Knew*, Prix de la lumière à Babette Mangolte.

Prix dit de la porte entrouverte à Louis Skorecki pour *Eugénie de Franval*.

Le Prix de l'utopie, au grand regret du jury, n'a pu être décerné.

2

Entretien sur *Le Navire Night*
réalisé à Paris, rue Saint-Benoît, le 6 avril 1979

Dominique Noguez : D'où vient l'histoire du *Navire Night*?

Marguerite Duras : Elle m'a été racontée; elle n'est pas de moi. C'est la première fois que ça m'arrive, c'est-à-dire que j'ai... j'ai filmé, j'ai donné au théâtre une histoire que je n'ai pas inventée, qui a été vécue.

D. N. Il vous est arrivé dans d'autres pièces de partir de faits divers, que vous avez complètement transformés aussi.

M. D. Oui, c'est jamais par hasard quand une chose vous intéresse. Cette histoire-là, je la connaissais depuis trois ans et j'avais toujours dans l'idée de m'en servir. Mais c'est pas n'importe quelle histoire, justement.

D. N. Bien sûr. Et puis, elle a été certainement transformée petit à petit. Déjà, entre le texte publié et le film...

M. D. Oui, il y a l'histoire de la Grèce, oui. Je dis dans le film : elle a été racontée, et puis rédigée...

D. N. Et puis écrite...

M. D. Et puis écrite, oui.

D. N. Parfois, je me demande quelle est la différence que vous faites entre « rédigée » et « écrite ».

M. D. « Rédigée », il y a encore une fidélité à la narration, à la chronologie, à tout ça. « Écrite », il n'y en a plus aucune. C'est la liberté totale de l'écrivain devant la narration.

D. N. Mais ce qui est absolument troublant, c'est que c'est une histoire tout à fait durassienne et qui fait penser par bien des aspects à des romans que vous avez écrits, à *Lol V. Stein*, par exemple...

M. D. Vous avez été le seul à l'avoir dit – et ça m'a beaucoup touchée, ça m'a même bouleversée – et j'ai reconnu que c'était vrai quand vous l'avez dit, vous –, mais maintenant, oui, je sais que c'est complètement proche. Vous parliez tout à l'heure de la chambre où elle meurt, qui est prostituée...

D. N. Où elle se montre...

M. D. ... La mort elle-même est prostituée ; elle est devenue objet de... de... comment on appelle ça ? quand on regarde...

D. N. Exhibitionnisme ? – Non, c'est un mot trop fort.

M. D. Euh nn.. Voi... *Voyeuse.*

D. N. Oui. Et F., la femme du *Navire Night*, a aussi d'autres points communs avec Lol : elle veut voir – c'est elle qui veut voir...

M. D. Oui.

D. N. Lui, lui – c'est curieux, c'est pourtant de son point de vue que tout est raconté –, mais lui, il n'est jamais dit qu'il l'aime vraiment. Il n'est jamais parlé de sa passion à lui...

M. D. Ils disent... À un moment donné on dit : « Il se met à l'aimer. »

D. N. « Il *se met* à l'aimer »... Est-ce que chez elle...

M. D. Vous vous souvenez, il dit – *on dit* – : « Elle disparaît, elle se meurt et puis revient à la vie... renaît, revient à la vie. Il se met à l'aimer. » C'est dit une fois.

D. N. Mais c'est elle qui a l'initiative, toujours, évidemment.

M. D. Oui, mais ça... Lui, son désir en passe par cette subordination. L'homme, en réalité, est un homosexuel – il a été homosexuel. Même si maintenant il vit avec une femme, pratiquement il l'a été quand même. Et ce subissement d'elle, de F., c'est sa jouissance, enfin. C'est évident, non ? Enfin, son désir en passe par cette équation-là : de la subir, de subir ses... tout ce qu'elle dicte... ses rendez-vous manqués, ses... quand elle le suit dans les rues de Paris.

D. N. Elle le suit... On ne sait pas vraiment si elle le suit, parce que c'est lui-même...

M. D. Mais on ne sait même pas si elle existe, finalement. Est-ce que c'est pas cette femme du H.L.M. de Vincennes, hein?

D. N. Je suis sûr que, entre l'histoire qui vous a été racontée et l'histoire telle qu'elle est maintenant sur la bande-son du film, il y a eu une singulière métamorphose.

M. D. Mais je l'ai donnée à lire au jeune homme – à l'homme jeune, plutôt – des Gobelins. Il m'a dit : « Tout est vrai, et je ne reconnais rien. » (*rire*) Non, il me l'a racontée très littéralement...

D. N. On parlait tout à l'heure d'un critique qui n'a pas été très chaud – c'est le moins qu'on puisse dire – pour la pièce de théâtre. Et il a raconté l'histoire de telle façon qu'on a l'impression, effectivement, d'une espèce de mélodrame. C'est-à-dire que si on prend l'histoire par la fin (telle qu'elle nous apparaît à la fin), en insistant sur les choses qui peuvent paraître un peu extraordinaires, même un peu tirées par les cheveux, on peut avoir l'impression d'un mélodrame. Mais en réalité, ça ne se passe pas comme ça : ça commence de façon très plausible, et puis petit à petit il y a des détails qui s'ajoutent, par exemple : ce serait la fille d'un conseiller privé financier du président de la République, etc. – tout ça c'est des détails authentiques? ou bien que vous avez ajoutés pour...

M. D. Non, non. Non, c'est *vrai*. Le Père-Lachaise, c'est vrai. Le lieu de la recherche principale, c'est vrai. Le prêtre, rencontré dans un train, qui est devenu fou d'amour, c'est vrai. Le jeu de la mort, quand elle le suit dans les rues, c'est vrai. Tout a existé, seulement ça n'était pas passé par l'écrit, si vous voulez. C'est-à-dire que j'ai fait cette histoire... j'ai fait de cette histoire une chose qu'à la rigueur j'aurais pu écrire... Je ne sais pas comment en parler, c'est difficile... Puisque je l'ai fait. Puisque c'est arrivé. Puisque... puisque je l'ai vraiment écrite – elle est écrite, complètement –, donc elle me concernait. Je crois qu'il n'y a pas de « drame », « tragédie », « mélodrame », ni « boulevard »... J'aurais à jouer une pièce, je ne sais pas, moi, de... On a cité Octave Feuillet, je crois... – [mais] ça serait certainement tragique, [mais] je changerais l'écriture.

D. N. Vous faisiez vous-même allusion à une formule d'*Hiroshima*, à propos de cette histoire...

M. D. Oui, j'aime bien quand Cournot dit « histoire de deux sous ». Toutes les histoires d'amour sont des histoires de deux sous, bien sûr, voyez. C'est pas parce qu'elles sont enrobées dans le sucre ou bien dans le piment de... – une sorte de cuisine, si vous voulez, qu'on vous sert soit dans les romans de Guy des Cars ou les romans de... Marguerite Duras –, c'est toujours la même histoire, s'il y a de l'amour. Oui, il dit « histoire de deux sous », dans *Hiroshima*, je me souviens, quand la jeune Française est dans la gare d'Hiroshima, il y a une voix qui dit – la voix de Riva – : « Histoire de quatre sous, je te donne à l'oubli. » Donc j'ai été la première à traiter l'histoire d'*Hiroshima* d'« histoire de quatre sous »...

D. N. Mais quand vous rapprochez vos romans de ceux de Guy des Cars, c'est évidemment *cum grano salis*... Justement, l'écriture, là, est ce qui fait la profonde différence...

M. D. Mais tout est là. Tout est là. On m'a demandé si j'« adaptais » le texte, au cinéma ou au théâtre – dans une réunion, au théâtre. J'ai dit non.

D. N. Justement : est-ce que vous avez écrit le texte d'abord, sans penser qu'il pourrait déboucher sur un film ou sur une pièce de théâtre ?

M. D. Pas du tout. J'ai écrit l'histoire pour l'histoire. Je ne savais pas où j'allais. Je l'ai écouté raconter (et je posais des questions) en novembre 77. Et quatre mois après, elle était toujours au même point. En février. Et je me disais! il n'y a rien à en tirer.

D. N. Est-ce que c'était un moment où vous pensiez arrêter de faire des films et vous remettre à des textes uniquement publiés comme textes ?

M. D. Bah j'ai toujours cette idée de revenir à l'écrit, vous savez...

D. N. Un roman ?

M. D. Il y a très longtemps que je n'ai pas écrit « roman » sous les titres de mes livres. Il y a bien dix ans. Non, j'écrirai des textes, certainement.

D. N. Est-ce que la place très importante que le cinéma a prise dans votre travail a modifié de façon décisive la forme de ce que vous écrivez ? Vous n'envisagez plus d'écrire des romans comme *Les Petits Chevaux de Tarquinia* ou *Le Vice-consul* ?

M. D. Ça n'a rien à voir, *Le Vice-consul* et *Les Petits Chevaux*!

D. N. Oui, je sais bien : je prends deux cas extrêmement différents...

232

M. D. Mais j'écris! La place de la lecture est différente, mais j'écris quand même! Je ne crois pas avoir changé de... J'ai changé d'endroit... Oui, c'est ça : je n'écris plus dans des livres, j'écris sur de la pellicule si vous voulez, mais... Je voudrais... Je pense par exemple à un roman oral, voyez. Je l'écrirais comme ça, sur un magnétophone, puis après on ferait l'image.

D. N. Pourquoi ne pas aller jusqu'à un film sans images, alors?

M. D. (rire) Ben si! Un film érotique, pour moi, ce serait un film sans images.

D. N. Complètement noir... Ce serait l'« orgasme noir » dont vous parlez dans *Le Navire Night*!

M. D. Oui. Oui, oui.

D. N. Il paraît que ça a existé : en 1930, Ruttmann a fait un film qui s'appelle *Wochenende*, qui dure une heure et où il n'y a pas d'images. Il n'y a que les bruits de ce qui se passe dans la ville entre le samedi après-midi et le lundi matin...

M. D. Ben voyez!

D. N. On ne l'a jamais vu, ce film; on ne sait pas s'il existe vraiment... *(rires)* Il y a une trace dans une histoire du cinéma, c'est tout... Vous, ça ne vous ferait pas peur, d'aller jusqu'à ce point?

M. D. Pas du tout. Je ne risque rien.

D. N. C'est ça qui vous donne une grande liberté...

M. D. Je ne risque rien à cause de… sans doute tout simplement des livres que j'ai écrits. Qu'est-ce que vous voulez que je risque encore? Ah! la critique cinématographique en place? Elle est tellement vieille et je suis tellement jeune à côté! (*rire*). Qu'est-ce que vous voulez que je risque?

. . . .

D. N. Je vais vous poser une question tout à fait différente, sur l'Histoire avec un grand « H », cette fois-ci. Dans *Le Ravissement de Lol V. Stein*, vous parlez de la scène du bal d'S. Thala comme d'une épave, comme de quelque chose qu'il aurait fallu murer, comme d'une sorte de totalité, d'un bloc qui échappe presque au temps, qui devient intemporel. Et là, le navire *Night*, c'est quelque chose de comparable. C'est un bloc de vécu, pourrait-on dire, qui vogue éternellement – vous employez le mot d'« éternité »…

M. D. Oui.

D. N. Et ça, ça s'oppose absolument à une vision marxiste de l'Histoire – cette espèce de réintroduction de l'idée de l'éternité…

M. D. De l'entité, presque. Comme si chaque histoire contenait l'Histoire même. Je crois ça complètement. C'est pour ça que je refuse les termes de « mélo », de « tragédie », de « comédie », etc. Chaque amour renferme *tout* l'amour. Seulement, il ne faut pas que ce soit une histoire truquée ou accommodée à *un* mode. Chaque histoire a sa forme à elle. Cette histoire-là, le *Night*, je pense l'avoir réussie parce que je pense, personnellement bien sûr, qu'elle ne pouvait pas prendre une autre forme que celle-là. Donc, il fallait également que j'en passe par le désastre. Celui du commencement de la représentation.

234

D. N. Mais je pense que vous êtes aux antipodes d'une vision historique ou historiciste de la passion – genre Denis de Rougemont, vous voyez, avec une histoire des sentiments qui changerait en fonction des sociétés, des différents états des forces économiques, etc.

M. D. Ben je dois être à l'opposé d'une vue sociologique, en tout cas, de l'événement. D'ailleurs, je m'intéresse à l'Histoire. Je lis beaucoup les nouveaux historiens. Mais je ne retiens rien des chronologies. Et pourtant je suis dans une extrême émotion lorsque je lis tout ça. Sur le Moyen Âge, en particulier. Je ne retiens rien. J'y suis, donc je n'ai pas à retenir. Une lecture historiciste est une lecture extérieure, externe, presque, pourrait-on dire, à l'événement.

D. N. Est-ce que cela a toujours été votre point de vue, ou bien est-ce que ça correspond à un éloignement du marxisme?

M. D. Ce que je voudrais essayer de vous exprimer, je ne l'ai jamais dit. C'est encore très confus en moi. Mais je pense que si j'étais restée marxiste – je dis bien –, je n'aurais jamais écrit ce que j'ai écrit depuis dix ans. Mais qu'il fallait quand même que j'en passe par cette espèce de... d'enfermement, oui, de la limitation, d'hypothèque terrifiante qu'était l'appartenance au Parti, le militantisme, pour en arriver là, enfin là où j'ose être, si vous voulez, maintenant.

D. N. C'est-à-dire à ce « doute d'ordre général », comme vous dites?

M. D. Oui. Oui. Oser le dire. Et oser le vivre. Vous savez, depuis cinq ans, tous les critiques du P.C. sont contre mes films. Et alors, ce qu'il y a de navrant, c'est que, comme ça, de personne à personne, ils disent qu'ils aiment beaucoup, mais qu'ils ne peuvent pas encore l'écrire. C'est terrifiant, le danger que ça représente. Je n'aurais jamais, jamais osé écrire, mettre en scène *Le Navire Night*. Ni *India Song*, ni *Son nom de Venise*, ni, bien sûr, *Le Camion*.

D. N. Et cela ne veut pas dire que vous reniiez tout, puisqu'il y a ce passage terrible, fulgurant, dans *Le Navire Night* encore, sur l'Histoire, sur la politique, enfin, ce passage, cette allusion à la « racaille » de Neuilly, aux « financiers véreux » qui sont enterrés dans un certain coin du Père-Lachaise...

M. D. Ah non, mais ça je suis sûre que quand on a été marxiste, oui, il y a un point de non-retour qui est atteint – ne serait-ce que dans la lucidité, enfin dans le... une sorte de fonction analytique qui vous vient du marxisme, sans quoi on n'est jamais tout à fait présent au monde, si vous voulez –, si on n'a pas *ça*, si on n'a pas cette faculté d'analyse que *seul* le marxisme peut vous donner. On [ne] peut pas l'acquérir autrement. *Voir*. Voir, c'est *ça*.

D. N. C'est-à-dire que ces films sont du côté d'une certaine éternité, d'une certaine « entité », mais l'Histoire est toujours, à un certain moment, là : dans *India Song*, elle est présente l'espace de quelques phrases sur ce qui se passe en 1937...

M. D. Oui. C'est... C'est la guerre d'Espagne ; c'est la fin du Front populaire et le congrès de Nuremberg. Je crois, hein, c'est ça.

D. N. Ici, il y a une allusion à la Commune.

M. D. Oui. Les gens me disent qu'il y a beaucoup de critiques de droite qui ont très mal supporté cette allusion.

D. N. C'est bon signe !

M. D. (*rire*)

D. N. Ça a dû leur faire mal, oui.

M. D. Oui.

D. N. D'autant plus mal que c'est bref. C'est comme un coup d'épingle terrible.

M. D. Les choses se retournent : comment peut-on être bonapartiste ? Comment peut-on avoir le culte de Napoléon ? C'est quand même étrange. Quand on est marxiste, l'étonnement est de l'autre côté, vous comprenez. Eux se demandent comment nous l'avons, comment nous avons la haine de ça, enfin la haine... Pour moi, Napoléon, c'est non seulement la figure la plus affreuse de l'Histoire de France, mais la plus ridicule. Mais comment peut-on passer de bord à bord ? Je pense que c'est uniquement par ça, par la pratique marxiste de l'Histoire, quoi. Bah, je dis ça entre autres, mais je pense que ça s'applique à tout ; à tout : par exemple si on me demande de quoi relève ce gouffre de la nuit, ce gouffre téléphonique – il y a des appels, enfin des gens qui demandent des choses extraordinaires, des gens qui jouissent, qui se masturbent, il y en a des milliers, toutes les nuits. Et je disais aux gens : mais tout relève du désir. Il y a des gens pourvus de famille qui peuvent aller dans n'importe quel bordel le plus chic de France, le plus cher, qui ont des enfants, qui ont d'énormes situations *et qui relèvent du gouffre.* Comme les homosexuels, comme les impuissants : *tout* relève du désir. Vous voyez... Les jeunes, les vieux, les enfants, les fous, les impuissants... tout en relève, de ce gouffre téléphonique. Et c'est cette espèce de... Si vous voulez, c'est ça, c'est ça le côté peut-être politique du *Night*, c'est que c'est... je ne l'ai pas limité, le gouffre. C'est un gouffre *démocratique* du désir. Tout le monde en est de ce gouffre-là. À moins d'être un imbécile et de ne pas le savoir. Nous en sommes tous. Alors, les gens viennent, ils me disent : « C'est mon histoire! Je suis cette personne, je suis cette femme, je suis cet homme. » Ça me fait sourire, ça me plaît : il y a quand même là encore une dernière naïveté qui consiste à ne pas voir « je suis comme toi, je suis du gouffre ».

D. N. Et l'homme du film, de l'histoire...

M. D. C'est un rôle inversé. Il joue presque le rôle d'une femme.

D. N. À la fin, il choisit de rester dans le gouffre, d'une certaine façon.

M. D. Oui.

D. N. Il choisit que l'histoire ne change pas. Parce qu'il aurait pu se retourner. Vous dites à un moment donné... À un moment où il sent qu'elle le suit, il aurait pu se retourner, la voir...

D. N. Tout aurait changé.

M. D. Tout se serait arrêté.

D. N. Et il préfère rester dans le gouffre, enfin dans l'histoire du gouffre. Est-ce que ce n'est pas votre choix d'écrivain? Est-ce que l'écrivain ce n'est pas la voix du gouffre?

M. D. C'est pas loin ; c'est ça. En tout cas, ce sont des voix... parallèles. C'est la voix de personne, la voix d'un écrivain. Et la voix... Si c'est une voix d'écrivain, c'est la voix de tous, ce n'est pas une voix. Il faut qu'elle en passe par cette mort de soi, cette humilité, si vous voulez.

3

Manifeste pour le cinéma indépendant
rendu public au colloque sur *Les Cinémas nationaux
en Europe* organisé par Jack Lang et au festival d'Hyères
en juin 1980

[Un certain nombre de réalisateurs marginalisés par le cinéma dominant ou se réclamant du cinéma expérimental, invités (ou non) au colloque organisé juste avant le festival en 1980 par le PS et Jack Lang, en présence de François Mitterrand, et ne se reconnaissant pas dans les conclusions élaborées par la majorité des participants (parmi lesquels quelques-uns des meilleurs cinéastes italiens, grecs, allemands, etc., de l'époque), avaient décidé de faire un communiqué commun. Participaient à cette élaboration Marcel Mazé, responsable de la section du cinéma différent au Festival d'Hyères, Claude Brunel, professeur de musique et critique, Maria Landau, psychanalyste, Jean-Paul Dupuis, Marcel Hanoun, Ann Marchi, cinéastes, Marguerite Duras et moi. Très vite, Marguerite avait pris la plume et, si plusieurs passages furent dictés par tel ou tel participant, c'est elle qui imprima son orientation et sa forme à ce qui est devenu une sorte de manifeste du cinéma indépendant.]

Qu'ils existent. Nous ne leur voulons aucun mal, aucun bien, nous leur voulons plutôt du bien que du mal. Ils sont là. Eux, ce sont les créateurs et les producteurs du cinéma européen. Ils se défendent d'ennemis très nombreux, ils sont entourés de menaces et ils vivent dans la terreur. Ils viennent de tenir sous l'égide du PS français le premier colloque du cinéma européen. Certains d'entre nous y ont été conviés avec empressement. Nous nous y sommes rendus avec bonne volonté.

Il reste dans le souvenir ceci : que les heures de délibération n'ont dissipé en aucune façon la confusion essentielle, la nuit noire, qui règne autour de ce mot : cinéma.

Les délégués et invités du colloque ont basé leurs discussions d'abord sur les menaces qui règnent sur leur cinéma, satellites pirates des films, reptation inéluctable des multinationales américaines vers les productions nationales européennes, donc, à brève échéance, d'abord la suppression du droit moral de l'auteur, l'utilisation inconditionnelle de ses œuvres et ensuite la suppression proprement dite de l'auteur lui-même. Il a été question aussi de la télévision. Elle devrait encore changer. Elle devrait intervenir beaucoup plus encore dans l'équilibre budgétaire des productions cinématographiques nationales. Tout ceci pour en arriver, quant à nous, à essayer, en vain, de signaler notre existence à ce colloque. Chaque fois notre existence a été submergée par les appels à la télévision et aux aides automatiques des États. Le colloque est terminé. Le cinéma qui a parlé a fait son communiqué, nous faisons le nôtre. Il ne nous reste plus rigoureusement que ce droit-là, de faire un communiqué. Le voici :

Les films du cinéma différent sont faits de rien, ils sont faits sans presque d'argent. Nous existerons envers et contre les multinationales américaines, le cinéma différent et expérimental américain s'est bien déjà développé contre elles.

Nous ne sommes pas organisés. On ne peut pas organiser l'inorganisable. Nous avons cru possible de faire front commun avec le cinéma commercial. Ce n'est pas possible. En aucun point nous ne pouvons coïncider avec lui. De quelque ordre qu'ils soient, nos intérêts ne sont pas de même nature. Au niveau de la création, cette différence est écrasante. Rien n'est entendu, rien n'est compris de ce que nous pouvons leur dire.

À chaque détour de la parole, nous nous heurtons à des encombrements de définitions, de préambules, de corollaires infranchissables. Partout ils nous renvoient à la notion terrifiante de quotient de fréquentation du public. Leur seul critère, leur seul argument, c'est l'indice de fréquentation de leur public [1], atteint de subissement. Ils appellent ça la fête du public et du film, nous appelons ça la mort du public. Nous avons très peu de public. Nous n'avons pas de salles. Sans salles, nous ne pouvons pas avoir plus de public. Or s'il était dans leur pouvoir de le faire, ces gens ne nous donneraient pas de salle. Pourquoi ? Parce que le public qui viendrait nous y voir ne serait pas le leur. Ce n'est pas un public libéral, le nôtre, c'est un public libre. Il est le seul public libre de tout le cinéma. C'est un grand public, comme on dit « grand lecteur ».

La leçon de ce colloque, pour nous, c'est celle-ci : que c'est avec ce public et celui à venir que nous devons faire avancer le cinéma et avec personne d'autre. La nature même de notre tentative se refuse à la sollicitation de quelque pouvoir que ce soit, fût-il aimable comme l'est celui de ce cinéma qui a inauguré maintenant de se nommer lui-même « cinéma d'auteur ». Termes volés à nous. Nous devons rester irréductiblement seuls à réapprendre tout.

Claude BRUNEL
Jean-Paul DUPUIS
Marguerite DURAS
Marcel HANOUN
Maria LANDAU
Ann MARCHI
Marcel MAZÉ
Dominique NOGUEZ

---

1. À cet endroit, sur la copie dactylographiée, six mots rayés : « comme on dirait de leur prolétariat ».

4

Réponse à la question posée en 1985
(à la demande de M. D.) par la revue *L'Arc*
sur les raisons du succès de *L'Amant*

Parce qu'un *je* vaut mieux que cent *il* ou *elle*.

Parce que les temps ne sont plus à l'« idéologie » et que la vérité intime est de nouveau à l'ordre du jour.

Parce que l'amour, il n'y a que ça, et que ça fait trente ans que Duras le dit.

Parce qu'on se voit tous un peu Chinois martyr ou sauvageonne précoce.

Parce que c'est royalement écrit.

Parce que 142 pages, ça se lit en une nuit et on en parle à ses amis le lendemain.

Parce qu'il y a une justice.

Et parce que tout ça pour 50 F, c'est donné.

D. N.

Table

Cet ouvrage a été réalisé par

FIRMIN DIDOT

GROUPE CPI

Mesnil-sur-l'Estrée

*pour le compte des Éditions Flammarion
en février 2001*

Imprimé en France
Dépôt légal : mars 2001
Nº d'édition : FF 816201 – Nº d'impression : 53968